SWANSEA LIBRARIES
0001639357
Withdrawn

Dylanwadau

Dylan Jones

Argraffiad cyntaf — Tachwedd 2012

© Dylan Jones 2012

ISBN 978 0 86074 285 2

Cedwir pob hawl. Ni chaniateir atgynhyrchu unrhyw ran o'r cyhoeddiad
hwn na'i gadw mewn cyfundrefn adferadwy na'i drosglwyddo mewn
unrhyw ddull na thrwy unrhyw gyfrwng electronig, electrostatig,
tâp magnetig, mecanyddol, ffotogopïo, nac fel arall,
heb ganiatâd ymlaen llaw gan y cyhoeddwyr,
Gwasg Gwynedd.

Mae'r cyhoeddwyr yn cydnabod cefnogaeth ariannol
Cyngor Llyfrau Cymru.

Cyhoeddwyd gan
Wasg Gwynedd, Pwllheli

Er cof am Dad

– ffrind a thad yn un

Tudur Huws Jones fu'n cydweithio
efo Dylan Jones i gofnodi'r hanesion

Cynnwys

Cyflwyniad

Darlledwr, pêl-droediwr, brawd – a'r mwyaf o'r rhai hyn yw'r brawd!

Oes, mae 'na sawl Dylan Jones. I rai, 'Dylan Tyddyn Iolyn' fydd o am byth; i eraill, eu hen athro ysgol uwchradd neu'r gohebydd o bedwar ban byd; i eraill wedyn, fo ydi'r ffan pêl-droed sy'n cyflwyno *Ar y Marc*, neu'r boi 'na efo'r llwy bren enfawr ar *Taro'r Post*. I mi, Dylan y brawd bach ydi o.

Wrth ddarllen y llyfr mi ddowch i nabod Dylan Jones a'i haenau yn well, gobeithio. Mae llawer o'r haenau'n plethu i'w gilydd. Mae Dylan Jones y pêl-droediwr, wrth reswm, ynghlwm wrth Dyl y brawd. Mae'r ddau ohonan ni wedi bod wrth ein boddau efo pêl-droed ers y dyddiau hynny pan oeddan ni'n treulio oriau yn cicio pêl o flaen y tŷ yng Nghapel Garmon erstalwm. Er mai fi ydi'r brawd mawr, y brawd bach ydi'r pêl-droediwr gorau o bell ffordd, a hwyrach mai dyna pam fod yn well gen i ddarllen llyfr yn hytrach na mynd allan i chwarae bob hyn a hyn!

Mae pêl-droed wedi bod yn allweddol i yrfa Dylan Jones y darlledwr hefyd. Oherwydd ei ddiddordeb ysol yn y gêm y cafodd o'r cyfle i ddarlledu o gêmau i Radio Cymru, cyn i drychineb Hillsborough roi cychwyn ar gyfnod newydd yn ei hanes. Mae'r hyn a ddigwyddodd y diwrnod hwnnw'n deud llawer am Dyl. Heb iddo rioed fod wedi llunio adroddiad newyddion cyn hynny, mi gamodd i'r adwy a llwyddo i adrodd stori hunllefus yn broffesiynol, yn drwyadl ac yn sensitif. Mae'r tri gair yna wedi bod yn allweddol i'w lwyddiant o fel darlledwr. Mae'n ddarlledwr mor rhwydd am ei fod o wedi gwneud y gwaith caled cyn mynd i'r stiwdio. Jest meddyliwch faint o oriau sydd wedi'u treulio yn meddwl am eiriau mwys linc agoriadol *Ar y Marc* ers ugain mlynedd!

Oes, mae 'na sawl haen i'r un y cewch ei hanes rhwng cloriau'r llyfr hwn: y darlledwr, y pêl-droediwr, y mab, nai, ewythr, brawd a gŵr – ond hefyd y tad i chwech o blant. Fel gwnes i grybwyll eisoes, mae Dyl yn foi trwyadl!

IRFON JONES

Capel Garmon a'r prifathro

Pentre bychan i fyny yn y bryniau rhwng Llanrwst a Betws-y-coed ydi Capel Garmon, ac yn fanno y dois i i'r byd ar yr ail o Chwefror 1961. Wel, ddim yn llythrennol chwaith, achos yn Ysbyty Dewi Sant ym Mangor y ces i ngeni, ond ta waeth am hynny, dach chi'n gwybod be dwi'n feddwl.

Sut medra i ddisgrifio Capel Garmon ichi, dwch? Wel, pentre gwledig ydi o efo ysgol, capel, eglwys wedi cau, tai, tai ha', tafarn . . . a chromlech. O oes, mae gynnon ni gromlech, dalltwch – Bedd Capel Garmon, sy'n eitha adnabyddus ac yn rhoi'r pentre ar y map yn hanesyddol. Pan o'n i'n fach roedd 'na ddwy siop yno hefyd, ond mae'r ddwy wedi cau bellach.

Be oedd yn ddifyr oedd bod 'na griw oedd yn mynd i'r capel ac wedyn criw arall oedd yn mynd i Pen Llan, fel roeddan ni'n ei alw fo, sef tafarn y White Horse. Mi oedd y dafarn yn andros o boblogaidd ar nos Suliau pan oedd sir Gaernarfon yn sych, achos ni oedd y lle cynta dros y ffin, fel petai, yn sir Ddinbych. Mi oedd Betws yr ochr arall i'r afon, ac felly roedd fanno hefyd yn sych ar y Sul! Byddai pobol yn tyrru acw. Doedd 'na ddim lle i barcio yn y pentre, roedd hi mor wyllt.

I'r garfan gynta roedd ein teulu ni'n perthyn, a Mam

a Dad yn selog iawn yng Nghapel Seion. Roedd Dad yn flaenor ac yn ysgrifennydd yno, a'r unig adegau y byddai'n mynd i'r Pen Llan oedd i ddanfon llefrith ac i nôl potel o frandi i Mam ar gyfer y pwdin Dolig! Gyda llaw, mi gaeodd tafarn Pen Llan am gyfnod yn ddiweddar, ond wrth i mi sgwennu'r llith hon roedd 'na obaith bod rhywun am ailagor y drysau. Mae'r ysgol yn dal ar agor, diolch byth, er bod honno dan fygythiad hefyd fel nifer o ysgolion bychan y dyddiau yma.

Roedd Irfon fy mrawd a finna'n mynd i'r ysgol Sul, a hefyd bob nos Lun i'r Band of Hope efo Trefor Williams (Trefor Star, am mai rheolwr Siop Star yn Llanrwst oedd o wrth ei waith). Mi fyddai'n dod heibio i'n nôl ni bob wythnos yn ei Fini bach – nôl 'hogia bach Tyddyn Iolyn', fel bydda fo'n ein galw ni. Dashbords metal oedd 'na mewn Minis bryd hynny, a Trefor Williams wedi gweld ei gyfle i osod magnet o Iesu Grist ar ei ddashbord. Dwi'n cofio y byddwn i'n chwarae efo hwnnw bob tro – er nad oedd y capel yn fawr o fagnet i mi, cofiwch! Rhai eraill oedd yn gneud llawer efo ni yn y Band of Hope a'r ysgol Sul oedd Marian Roberts (Carreg Lleon), Miss Olwen Jones, Elwyn Jones y Siop a Mary Roberts, Ty'n Celyn – a'r gweinidog, y Parchedig John Davies Hughes, wrth gwrs.

Un o uchafbwyntiau'r flwyddyn oedd y trip ysgol Sul, a'r gyrchfan arferol fyddai sw Caer neu Marine Lake y Rhyl, i wario'n pres poced yn y ffair neu brynu pethau fel cyllyll a phethau tebyg na ddylien ni ddim bod yn gwario'n pres arnyn nhw, am wn i. Mi fuon ni yn Butlin's Pwllheli un tro hefyd. Roedd Irfon a finna wedi methu mynd i fanno'r tro cynta'r aeth yr ysgol Sul yno am ein bod ni wedi cael y frech goch, felly roeddan ni'n falch o'r cyfle i fynd yno'r tro wedyn am ei fod o'n wahanol i'r tripiau arferol.

Un o nodweddion arbennig Capel Garmon oedd Eisteddfod y Tai a gynhelid yn flynyddol yno. Roedd y pentre'n cael ei rannu'n ddau dŷ – Gwydir a Hiraethog. Roedd Dad a fi yn Gwydir, ac Irfon a Mam yn Hiraethog – ac felly roedd hi trwy'r pentre – ac mi fyddai 'na gystadlu brwd a llawer o hwyl. Roedd hi'n ffordd dda o ddod â'r gymuned at ei gilydd, a byddai neuadd yr ysgol yn llawn dop a'r cystadlu'n mynd ymlaen tan oriau mân y bore yn nhraddodiad gorau'r eisteddfodau bach.

Mi fydden ni'n mynd i Aelwyd yr Urdd wedyn yn yr hen Church House bob nos Wener – aelwyd gafodd ei sefydlu yn 1973 gan y diweddar Llew Williams, prifathro'r ysgol gynradd. Roedd Gordon Jones, Gwninger, yn helpu allan yno hefyd, a Rob Davies a ddaeth yn brifathro ar ôl i Llew adael. Chwarae teg, roedd hynna'n dipyn o ymroddiad ar eu rhan.

Roeddwn i yn yr ysgol uwchradd erbyn hynny, ac er nad oeddan ni'n cystadlu yn Steddfod yr Urdd, roedd yr Aelwyd yn lle delfrydol i gymdeithasu efo'ch cyfoedion. Chwarae tennis bwrdd ac ati fydden ni fwya, a phêl-droed pan fyddai hi'n braf, ac mi oedd y cystadlu'n frwd ar adegau, a fy ffrind Bryn Tomos a finna ar ben ein digon bob nos Wener. Ond roeddan ni hefyd yn cael pobol draw i roi sgwrs am eu gwaith ac ati, ac mi aethon ni ar daith gerdded i ben yr Wyddfa un tro hefyd. Dyna pryd gwnes i flasu cwrw am y tro cynta! Ro'n i tua deuddeg oed ar y pryd, ac un o'r hogiau hŷn – Geoffrey Easton – wedi prynu peint o chwerw yn y caffi ar y copa, ac mi ges i sip ganddo fo. Ar y pryd dyna'r peth mwya ffiaidd roeddwn i wedi'i flasu erioed!

Wrth reswm, Cymraeg oedd iaith yr Aelwyd fel popeth arall yn y pentre, fwy neu lai, ac os oedd 'na blant di-Gymraeg yn cyrraedd acw roeddan nhw'n dod yn rhugl yn yr iaith mewn dim o dro. Doedd ganddyn nhw ddim dewis gan mai Cymraeg oedd iaith gynta pawb, ac roeddan nhw'n ymdoddi'n sydyn iawn i'r gymuned.

Mi oedd 'na byllau plwm yn yr ardal, ac mae'n bosib mai oherwydd y rhain y tyfodd y pentre yn y lle cynta. Dwi'm yn siŵr o hynny, ond mi oedd 'na ryw siafftiau i lawr y lôn o nghartre i, a rêl hogiau mi fydden ni'n mynd yno i chwarae er eu bod nhw'n llefydd digon peryglus.

Roeddan ni'n cael ufflon o eira bob gaeaf, bron, neu felly mae'n teimlo wrth edrych yn ôl rŵan. Roedd hynny'n grêt pan oeddwn i yn yr ysgol uwchradd, achos doedd y bws ddim yn gallu dod i'n nôl ni ac roeddan ni'n cael slejio trwy'r dydd wedyn. Bagiau cêcs gwartheg wedi'u llenwi efo gwair oedd y sled, ac argian, mi oeddan ni'n mynd fel mellt. Y gamp oedd neidio i ffwrdd cyn torri'ch coes neu'ch penglog wrth i'r slej fynd ar ei phen i'r clawdd yn y gwaelod. Ond doedd yr eira ddim yn effeithio rhyw lawer arnon ni o ran mynd i'r ysgol gynradd; dim ond chwarter milltir o adra oedd hi, felly roedd Irfon fy mrawd a finna'n gallu cerdded yno'n rhwydd bob dydd.

O ia, mae'n debyg bod yn well i mi gyflwyno pawb i chi cyn mynd dim pellach. Fel y soniais i, Tyddyn Iolyn – fferm fechan ar gyrion Capel Garmon – oedd adra i mi. Gwilym oedd enw Nhad. Bu farw'n ddiweddar yn wyth deg un oed ar ôl bod yn dioddef o ganser am ddwy flynedd. Mair Jones ydi enw Mam, ac Irfon ydi'r brawd mawr – mae o ddwy flynedd yn hŷn na fi. Mi gewch chi hanes gweddill y teulu mewn pennod arall.

Uchafbwynt blynyddol arall i ni fel plant ffarm oedd dyfodiad y criw bêlio o gwmni Clwyd Ellis, Glasfryn, Cerrigydrudion. Ffyrgi bach llwyd oedd ein tractor ni acw, ac roedd gynnon ni hefyd beiriant torri gwair, chwalwr neu 'wfflar', a rhenciwr gwair – a dyna fo. Ond roedd gan y rhain dractors Fordson Major mawr glas a Jones Balers coch, ac mi oeddan nhw'n dipyn o arwyr gynnon ni. Dwi'n dal i gofio ogla a sŵn y Fordson Majors! Mi fydda Irfon a finna'n helpu efo'r cario gwair. Gorwedd ar ein boliau ar dop y llwyth fydden ni, a hwnnw'n gwegian o ochr i ochr fel pendil wrth bod 'na dipyn o lechweddi ffor'cw. Ond doeddan ni'n meddwl dim am y peryg.

Mi gyrhaeddodd Brian Morris i fod yn brifathro'r ysgol gynradd ddechrau tymor y Pasg 1970, pan oeddwn i'n naw oed. Ar y pryd doedd gen i ddim llawer o ddiddordeb mewn gwaith ysgol. Eisiau bod allan yn chwarae ac ati o'n i, a'r uchafbwynt yn y dyddiau cynnar oedd cael mynd ar deithiau natur efo fy athrawes gynta, Mrs Gwyneth Davies o Flaenau Ffestiniog. Roedd Mrs Davies yn wraig hyfryd ac yn athrawes ardderchog, a dwi'n dal i gofio'r holl enwau blodau gwyllt ddysgodd hi inni. Tydi mynd â phlant ar deithiau natur ddim yn dasg mor hawdd y dyddiau yma – mae rheolau iechyd a diogelwch wedi sicrhau hynny – ac mae hynny'n biti.

Mi newidiodd pob dim i mi pan ddaeth Brian Morris i'r ysgol. Mi fydda fo'n pwysleisio'n gyson yn ei acen

Rhosllannerchrugog pa mor bwysig oedd hi inni gael hyder ym mhopeth roedden ni'n neud, ac o ganlyniad roeddan ninna'n magu mwy o hyder, yn doeddan? Ychydig wyddwn i ar y pryd, ond mi ddaeth hyn yn ddefnyddiol iawn i mi ar sawl achlysur ac mewn sefyllfaoedd go anodd mewn blynyddoedd oedd i ddod.

Plant gwledig a gwladaidd oeddan ni. Rywle rhwng deunaw a phump ar hugain o blant oedd 'na yn yr ysgol i gyd, ac mae hi'n dal rywbeth tebyg. Dau arall oedd yn fy mlwyddyn i – Arwyn Jones, Ty'n Coed, a Colin Thieme. Roedd Arwyn yn cael ei ben-blwydd ar yr ail o Ionawr, finna'n ei gael o ar yr ail o Chwefror, a Colin rhyngon ni ar y nawfed ar hugain o Ionawr. Felly roedd y tri ohonan ni o fewn mis i'n gilydd o ran oed. Mi ddaeth 'na hogan aton ni'n ddiweddarach – Clwydwen, ac mi oedd 'na hefyd hogan oedd flwyddyn yn iau na ni, sef Glenys, ac un arall, Eleri, flwyddyn yn iau na Glenys. Felly, ar un pwl, pump o blant oedd 'na yn nhair blynedd hyna'r ysgol. Ond fel'na mae hi mewn ysgol fach, ac os ydi rhywun yn cael athro da chewch chi ddim addysg gwell. I'r gwrthwyneb os cewch chi athro ciami, wrth gwrs! Dyna pam dwi'n ystyried fy hun yn lwcus iawn.

Yn ogystal â'n dysgu i ysgrifennu yn y dull italig, byddai Brian Morris hefyd yn pwysleisio pa mor bwysig oedd hi i ddefnyddio'r dychymyg efo popeth, yn enwedig wrth ysgrifennu. Mi fyddai'n mynd â ni allan i wahanol lefydd, fel gwaith alwminiwm Dolgarrog, ffatri Quinton Hazell yn Mochdre, y gwaith trydan dŵr yn Stwlan, a dwi hefyd yn cofio mynd i felin ddiarffordd ar gyrion Capel Garmon. Roedd o'n ein cael ni i farddoni a ballu yn y llefydd 'ma, a ninna'n sylweddoli bod y

Nain Tyddyn Iolyn (mam Dad)

Taid Tyddyn Iolyn (tad Dad)

Taid a Nain Felinheli (rhieni Mam)

Priodas Dad a Mam (Taid Felinheli wnaeth y gacen hardd)

Irfon, Mam a fi

Irfon a fi. Ffrindia penna, ylwch!

Efo Dad yn Ninbych-y-pysgod, 1965

Mrs Gwyneth Davies a dosbarth 'infants' Ysgol Capel Garmon. Colin, Arwyn a fi yn y cefn (dim ond ni'n tri oedd 'na ar y pryd yn ein blwyddyn ni!)

Holl blant yr ysgol yn 1970 efo'r prifathro, Brian Morris, a'r athrawes, Beti Rhys

Tyddyn Iolyn yn y chwedegau

Y ffarmwr naw oed
ar Gae Goeden, Tyddyn Iolyn

Capel Garmon fin nos

Team photo *o drigolion Capel Garmon ar achlysur ennill gwobr Pentref Taclusaf Sir Ddinbych yn 1968*

Dosbarth 1R Ysgol Dyffryn Conwy, 1972–3.
Yr ail o'r chwith yn y drydedd res ydw i

Fi'n actio'n wirion yn 1974,
dros ddegawd cyn i'r Wali Tomos
go iawn gael ei greu!

Achubwr yr Iaith
yn ddeuddeg oed

Ar wyliau yn Awstria efo'r teulu a ffrindiau yn 1976.
(Ni yn y glaw tra oedd pawb adra 'Nghymru'n rhostio!)
Rhes gefn – Yncl Emlyn, Yncl Alun a Dad; canol – Irfon, Mam, Nia,
Anti Gwenno ac Anti Jean; blaen – Eleri, fi a Manon

Criw Ysgol Dyffryn Conwy yng ngwersyll Glan-llyn
ganol y saithdegau

Y llun gafodd y fath ddylanwad ar 'y mywyd i!

Elland Road, Medi 1977. F'ymweliad cynta â'r fangre, a Leeds yn ennill 2–1 yn erbyn Ipswich

Chwecher ucha Ysgol Dyffryn Conwy, Rhagfyr 1978. O'r chwith: fi, John Davies, Colin Jones a Bryn Tomos

llefydd yn ein hysbrydoli – rhywbeth nad oeddwn i'n ymwybodol ohono cynt.

Mi oeddan ni'n gneud pethau efo'r Urdd hefyd, a dwi'n cofio parti cydadrodd yn mynd trwadd i'r Eisteddfod Genedlaethol yn Abertawe yn 1971. 'Yr Ardd' oedd y gerdd roeddan ni'n ei hadrodd. Doedd 'na ddim llawer ohonan ni gan ei bod hi'n ysgol mor fach. Mi oedd Arwyn Ty'n Coed yn y parti, ac am fod ganddo fo lais dwfn iawn o hogyn deg oed, roedd o'n gorfod meimio'r darn! Mi ddeudodd Brian Morris wrth y beirniad bod un ohonom yn meimio, ond roedd o'n gneud hynny mor dda doedd dim posib gwybod pwy oedd o!

Be dwi'n gofio fwya am y daith honno ydi bod ffeinal Cwpan Ewrop yn ystod yr wythnos – Ajax yn erbyn Panathinaikos yn Wembley, efo Johan Cruyff a Neeskens yn chwarae i Ajax. Bryd hynny roedd pawb yn aros efo teuluoedd yn steddfodau'r Urdd, ac roedd Colin a fi efo'n gilydd. Yr hyn oedd yn ein poeni ni fwya oedd a fydden ni'n cael aros efo teulu oedd yn berchen teledu, er mwyn cael gweld y gêm! Ac wrth fynd am ein llety roeddan ni'n sbio allan o'r car i weld oedd 'na erials teledu ar y tai, ac yn gobeithio y byddai 'na un ar ein 'tŷ ni'. Hen gwpwl oedd yn rhoi llety i ni, ac wrth lwc nid yn unig roedd ganddyn nhw erial ond, yn wahanol i bawb yng Nghapel Garmon, roedd ganddyn nhw deledu lliw! Felly roeddan ni ar ben ein digon ac mi gawson ni weld y gêm. Ajax enillodd 2–0, ond eitha siomedig oedd ein perfformiad ni efo'r parti cydadrodd. Chawson ni ddim llwyfan.

Almaenwr oedd tad Colin, wedi dod i'r ardal fel carcharor rhyfel ac aros yma a phriodi mam Colin – Anti

Neli i mi. Yr hyn sy'n rhyfeddol ydi bod Anti Neli wedi colli ei brawd, John, yn yr Ail Ryfel Byd a'i bod hi wedyn wedi priodi Almaenwr. Pan oeddan ni blant ysgol yn cymryd rhan yng ngwasanaeth Sul y Cofio, mi fyddwn i'n meddwl am hynna.

Roedd cystadlu yn Steddfod yr Urdd yn brofiad newydd, a dyna'r math o ddylanwad a gafodd Brian Morris arnon ni. Dim ond dau athro oedd yn yr ysgol i gyd, sef y prifathro ac athrawes y babanod. Felly roeddan ni efo'r prifathro am ddwy flynedd a hanner, a dwi'n dal i gofio'r petha ddysgodd o inni, hyd yn oed rŵan yn fy ngwaith bob dydd. Mi fydda i o hyd yn trio defnyddio fy nychymyg wrth sgwennu lincs neu gyflwyniadau ar gyfer y gwahanol raglenni.

Dwi'n amau mai o fanno y daeth y chwarae ar eiriau, sy'n gymaint rhan o'n arddull i erbyn hyn. Mi fyddai o wastad yn deud wrthon ni: 'Dechreuwch chi'ch stori'n ddiddorol a defnyddiwch eich dychymyg, ac mi fyddwch yn bachu sylw'r darllenydd neu'r gwrandawr o'r cychwyn.' Roedd o'n pwysleisio'i bod hi'n bwysig gorffen yn gryf hefyd, a dyna rywbeth arall sydd wedi aros efo fi. Roedd yr un egwyddor yn amlwg yn sioeau Nadolig yr ysgol, sef mor bwysig oedd paratoi'n drylwyr a dysgu'ch llinellau'n iawn.

Dyn ifanc oedd o pan ddaeth o acw, yn ei ugeiniau hwyr, ond mi oedd ganddo fo ddisgyblaeth fel hen stejar. Dwi'n cofio Irfon a finna wedi ffraeo am rywbeth ar y cae chwarae amser cinio, a'r gosb gawson ni gan Brian Morris oedd chwynnu'i ardd o ar ôl yr ysgol!

Doedd Irfon a finna ddim yn ffraeo'n amal, cofiwch! Mi ydan ni'n reit agos o ran oed ac o ran diddordebau.

Mi fydden ni'n chwarae efo'n gilydd yn y caeau – pêl-droed ac ati – yn ddigon dedwydd fel arfer. Ond dwi'n cofio Mrs Gwyneth Davies yn deud wrtha i bod Irfon wedi bod yn yr ysgol am ddwy flynedd yn fachgen bach tawel '. . . ac wedyn mi wnest ti gyrraedd!' Ro'n i'n meddwl mod i'n fachgen bach da, wrth gwrs, ond ella mod i'n gneud rhyw ddireidi fel tynnu coes neu chwarae triciau.

Ro'n i'n gwisgo sbectol pan o'n i'n bump, a dwi'n cofio mynd i ben clawdd i guddio un tro am nad o'n i isio mynd i'r ysgol efo sbectol! Doedd neb arall yn gwisgo sbecs yno ac ro'n i ofn iddyn nhw dynnu nghoes i – a jest ddim isio bod yn wahanol, fel mae plant. Ond roedd 'na ochr fwy difrifol i'r peth. Pan o'n i'n fach mi o'n i'n gweld dau o bob dim. Wrth ddeffro yn y bore ac edrych ar y lluniau o bêl-droedwyr oedd gen i ar wal fy llofft, mi o'n i'n gweld dau ohonyn nhw – tan imi ddechrau gwisgo'r sbectol. Ro'n i'n iawn wedyn drwy'r dydd. Fel'na buodd petha nes o'n i tua deg oed, ac wrth gwrs do'n i ddim yn gwybod bod dim byd o'i le, nag o'n? Ond mi ddywedis wrth Mam a Dad, a nhwytha wedyn yn deud nad oedd peth felly i fod. Mi fuodd raid gweld rhywun yn Ysbyty Llandudno, a'r canlyniad oedd cael llawdriniaeth yn Ysbyty'r Bwth, Caernarfon, yn 1972 i gywiro'r nam, ond dydi o'n dal ddim yn berffaith hyd heddiw. Dwi'n gwisgo lensys y dyddia yma. Mae gen i stori am y rheiny hefyd, ond mewn pennod arall mae honno.

Roedd yr ysgol uwchradd – Ysgol Dyffryn Conwy, Llanrwst – yn brofiad hollol wahanol. Y gwir oedd bod yr ysgol gynradd wedi ymestyn cymaint arna i mewn sawl ffordd, ond doedd rhywun ddim yn cael yr un sylw yn yr ysgol uwchradd. Ro'n i wedi symud o bwll bach i bwll mawr, a neb yn cadw golwg mor fanwl arna i ag oedd 'na yn yr ysgol gynradd. Roedd yn rhaid i mi gael rhywun i neud hynny neu mi fydda fy meddwl i'n crwydro! Yn enwedig yng nghwmni cymaint o ffrindiau newydd – bechgyn a genethod rhy niferus i'w henwi yma.

Ond mi ges i athrawon da iawn yn Ysgol Dyffryn Conwy hefyd: Dafydd Parri, awdur Cyfres y Llewod, oedd yn dysgu Hanes a Daearyddiaeth imi yn y tair blynedd cynta; Megan Roberts wnaeth ymdrech lew i ddysgu Mathemateg i mi ond bod yn well gen i drin geiriau na rhifau; Mrs Iola Alban fu'n dysgu Cymraeg i mi hyd at y Chweched Dosbarth; Eryl Owain (Hanes) ddaeth i'r ysgol pan o'n i'n gneud fy Lefel O; Gwyn Neale, yr athro Saesneg, a Richard Glyn Jones oedd yn dysgu Daearyddiaeth.

Cymraeg, Saesneg a Hanes wnes i yn y Chweched Dosbarth. Dwi'n difaru hyd heddiw na wnes i ddal ati efo Daearyddiaeth, achos ro'n i'n mwynhau'r pwnc hwnnw'n arw. Am mod i, trwy ryw wyrth, wedi cael dwy radd 'A' yn y pwnc yn Lefel O y dewisais i'r Saesneg!

Un o fy hoff wersi oedd *Double Games*, am ei fod yn golygu y cawn chwarae pêl-droed. Doedd 'na ddim sôn am rygbi o gwbl pan o'n i yn yr ysgol – sy'n syndod, ella, o gofio pa mor llwyddiannus mae clwb rygbi Nant Conwy erbyn hyn.

Dwi'n hoff iawn o fy mwyd, ac un o'r pethau dwi'n ei gofio fwya am Ysgol Dyffryn Conwy ydi Anti Glen!

Roedd hi'n arfer gweithio yn y gegin yn yr ysgol gynradd efo Anti Grace, ac ar ôl iddi symud i fyw i Lanrwst mi gafodd job yn gweini bwyd yn Ysgol Dyffryn Conwy. Am ein bod ni'n dod o Gapel Garmon roeddan ni'n cael ffafriaeth ganddi – dwy sleisan o gig, a winc bach bob tro. Neb yn deud dim tan i rywun sylwi a holi: 'Sut ufflon ti 'di cael dwy sleisan o bîff eto?'

Ia wir, dyddiau da a difyr – a diolch i Brian Morris yn enwedig am fod yn gymaint o ddylanwad arna i!

Y rownd lefrith a swyddi eraill

Fedrwch chi ddychmygu cael cinio cig oen bob dydd am chwech wythnos? Na, fedrwn inna ddim chwaith, ond dyna'r unig ddewis oedd ar y fwydlen i mi bob amser cinio tra bues i'n gweithio mewn caffi ym Metws-y-coed un ha'. Mae'r hen 'giaffi' hwnnw wedi cau erbyn hyn, ond mi ges ha' difyr iawn yn gweithio yno yn 1977, er i mi fethu edrych ar gig oen, heb sôn am ei fwyta, am flwyddyn gyfan ar ôl hynny. Mewn caffi arall lle bues i'n gweithio un ha', mi ddysgais gymryd pinsiad o halen nid yn unig efo'r bwyd ond efo'r disgrifiadau oedd ar y fwydlen. Doedd 'Fresh Conwy Trout', er enghraifft, ddim cweit be oedd o'n ei honni – mi fyddai 'Fresh Yangtse Trout' wedi bod yn llawer nes ati.

Mwy am hynny yn y man . . . ond yn gynta, y rownd lefrith.

Mae'n rhyfedd meddwl bod y ffasiwn beth wedi cael dylanwad ar fywyd rhywun ond mae'n berffaith wir yn fy achos i, ac mae 'na reswm da am hynny. Yn syml iawn, mi oedd o'n golygu llawer mwy na danfon llefrith o ddrws i ddrws. O pan o'n i'n ddigon hen i beidio bod dan draed adra tan ro'n i tuag un ar bymtheg, mi fues i'n helpu Dad efo'r gwaith.

Deunaw acer oedd Tyddyn Iolyn. Symudodd teulu

Dad yno o Langernyw yn 1939 pan oedd o'n wyth oed. Mi brynodd dau o'i frodyr eu ffermydd eu hunain – Yncl Harri oedd yn ffermio Maes y Garnedd, Capel Garmon, ac Yncl Griff ym Maes y Groes, Maenan, ger Llanrwst. Mi briododd eu chwaer, Anti Bet, efo Yncl Rich oedd yn ffermio ym Mlaen Ddôl ym Mhenmachno. Dad, felly, oedd yr un arhosodd yn y cartref. Bu farw brawd arall iddo, John, ac yntau'n ddim ond ugain oed.

Roeddan nhw'n deulu agos ac roedd Irfon a finna wrth ein boddau'n mynd at Yncl Griff, Anti Ann, Eryl a Nerys ym Maes y Groes; at Anti Bet, Yncl Rich, Meirion a Delyth ym Mhenmachno, ac at Yncl Harri, Anti Eluned, Glyn a Geraint ym Maes y Garnedd. Un chwaer sydd gan Mam – Anti Lun – ac mae gen i atgofion yr un mor felys o fynd ati hithau ac Yncl Gwyn, Einir, Delyth, Anwen ac Arwel yn y Felinheli – heb anghofio Nain Felinheli, wrth gwrs.

Roedd gynnon ni ryw ddeg o wartheg Friesian a rownd lefrith fechan yn y pentre a'r cyffiniau. Er ei fod o'n waith caled, roedd yn broses syml ac effeithiol – godro, oeri'r llaeth wedyn gyda'r 'cwlar' yn y can, llenwi'r poteli hefo jwg, ac yna'i ddosbarthu. Byddai'r gweddill yn cael ei gasglu gan y lori laeth. Rhyw chwe chrât o lefrith fydden ni'n eu gwerthu – cant ac ugain peint – mwy yn yr ha' achos bod 'na lawer o dai ha' yn y cylch.

Roedd y rownd yn cwmpasu cylch o tua thair milltir, ac mi fyddai Irfon a finna'n helpu bob penwythnos a bob dydd adeg gwyliau ysgol. Mi oedd o'n brofiad da ac yn gyfle i ddod i nabod pobol, siarad efo nhw ac yn y blaen, ac mi fu'r sgiliau yna'n fanteisiol iawn i mi yn fy ngwaith fel gohebydd, ac wedyn yn cyflwyno rhaglenni fel *Taro'r Post*.

Ar ôl gneud y rownd roedd yn rhaid mynd adra a golchi poteli. Erbyn hynny mi fyddai'n ganol pnawn ac felly bron yn amser godro unwaith eto.

Athrawes oedd Mam, yn Ysgol Gynradd Llanrwst. Ar ôl ymddeol mi werthodd Mam a Dad y ffarm a symud i Lanrwst i fyw. Wnaethon nhw rioed ein hannog ni i fynd i ffarmio achos mi oeddan nhw'n gwybod bod ffarm ddeunaw acer yn un rhy fechan i neud bywoliaeth ohoni, fel mae pethau yn y byd amaeth y dyddiau hyn. Mae ffermydd llaeth yn mynd yn fwy ac yn fwy er mwyn trio cael dau ben llinyn ynghyd. Yr adeg honno roedd Dad yn gneud bywoliaeth o'r ffarm yn unig – hynny ydi, o'r rownd lefrith a gwerthu rhyw fymryn i'r ffatri laeth, yn ogystal â chadw chydig o ddefaid. Fasa neb yn gallu byw ar hynny heddiw.

Mi oedd gynno fo'i boteli ei hun, rhai gwydr plaen efo sgwennu coch arnyn nhw – 'G Jones, Untreated Farm-bottled Milk, TT [Tuberculin Tested]' – ac roedd 'na gapiau gwyrdd arnyn nhw i ddynodi eu bod wedi cael eu potelu ar y ffarm.

Mi fydden ni'n mynd ar ein gwyliau am wythnos bob ha' i lefydd fel Bournemouth neu Torquay, ac wedyn pan oedd Irfon a finna chydig yn hŷn byddai Dad a Mam yn mynd i wledydd tramor fel Gwlad Belg, yr Eidal neu Awstria. Byddai Dad yn cael rhywun arall i neud y rownd lefrith bryd hynny – Selwyn Jones i ddechrau, ac yna Meurig Williams a'i wraig Nan, gwerthwyr llefrith o Lanrwst. Roeddan nhw'n defnyddio llefrith *pasteurised* achos doeddan nhw ddim yn godro'n gwartheg ni – Yncl

Harri Maes y Garnedd fyddai'n gneud hynny pan oeddan ni ar wyliau. Yr hyn sy'n rhyfeddol ydi bod ein cwsmeriaid ni'n deud wrthan ni eu bod nhw'n methu diodda'r llefrith hwnnw, a nhwytha wedi arfer efo'r 'farm bottled'. Felly, pan ddôi Dad adra o'i wyliau, 'Ew, dwi'n falch o dy weld di'n ôl, Gwil, i ni gael llefrith go iawn' fyddai hi!

Yn y cyfamser, byddai Irfon a fi wedi cael gwyliau gwerth chweil hefo ffrindiau i'r teulu ym Methesda: Yncl Emlyn, Anti Gwenno a Nia, ac Yncl Alun, Anti Jean, Eleri a Manon.

Yn y saithdegau doedd dim sôn am wyliau sgio, felly adra y bydden ni i gyd yn ystod y gaea. Os bydden ni wedi cael eira (ac mi oedd hynny'n digwydd reit aml yng Nghapel Garmon), mi oeddan ni'n gneud y rownd lefrith efo tractor. Roedd Dad yn benderfynol o sicrhau bod pawb yn cael eu llefrith, dim ots pa mor ddrwg oedd y tywydd. Ar adegau felly roedd rhai o'r poteli'n dal yn gynnes ar ôl cael eu golchi gan y cwsmer, ac roedd hynny'n fendith i ddwylo oer!

Roedd Dad yn fwy o weithiwr cymdeithasol nag o ddyn llefrith ar brydiau, yn newid bylbiau, cario glo, weindio clociau, agor jariau, nôl neges, cario biniau a llenwi ffurflenni i rai o'r cwsmeriaid. Tua diwedd y chwedegau pan oedd ffôn yn y tŷ yn dal yn beth cymharol brin yn y rhan fwya o gartrefi, mi gafodd Dad gais gan ŵr o'r pentre oedd newydd ddod yn dad i neud galwad bwysig ar ei ran: ffonio Ysbyty Dewi Sant, Bangor, i holi sut oedd y fam a'r babi newyddanedig. Yn Saesneg roedd y sgwrs, ac yn naturiol mi ofynnodd y nyrs: 'Are you the husband?' A Dad yn ateb: 'No, I'm the milkman!'

Pan oedd hi'n amser gwyliau neu adeg y Nadolig roeddan ni'n gneud yn siŵr ein bod ni'n gneud digon o sŵn efo'r poteli wrth fynd rownd fel bod pobol yn ein clywed ac yn dod allan i roi pres poced inni! Cyfrwys ta be? Ond diolch yn fawr i bawb ohonoch chi unwaith eto am fod mor hael!

Adeg Steddfod Genedlaethol 1979 yng Nghaernarfon, ro'n i ac Irfon a chydig o ffrindiau eraill wedi mynd yno i aros. Campio am yr wythnos. Roedd Mam a Dad yn mynd i ffwrdd ar eu gwyliau ar ddydd Sul ola'r Steddfod, ac felly'r trefniant oedd mod i'n dod adra i neud y rownd lefrith y bore hwnnw. Ond y nos Sadwrn cynt, nos Sadwrn ola'r Steddfod – noson fawr – mi oeddan ni wedi bod yn Twrw Tanllyd, neu be bynnag oedd ei enw fo'r flwyddyn honno. Ar y ffordd yn ôl i'r babell ro'n i wedi bwyta hot dog o ryw stondin, ac mi fues i'n towlu i fyny drwy'r nos! Ond roedd raid codi'r bore wedyn i neud y rownd lefrith. Ro'n i wedi addo i Dad, felly doedd dim dewis ond mynd er mod i wedi blino ac yn dal yn sâl. Mi wnes i drio deffro Irfon i ofyn oedd o am ddod efo fi ond doedd o'm isio gwbod, felly mi es i fy hun er mod i'n reit flin ar y pryd! Bu'n rhaid i mi stopio wrth ymyl Llyn Ogwen ar y ffordd adra i fod yn sâl eto.

Beth bynnag, wrth neud y rownd mi ddaeth yn amlwg ar ôl chydig ei fod o'n ormod i mi. Ond diolch byth am gymdogion da, ddeuda i, achos mi ddaeth Stan Nymbar 8 i'r adwy, neu Stan Roberts a rhoi iddo'i enw iawn. Mi welodd arna i nad o'n i'n rhy dda ac mi gynigiodd neud gweddill y rownd – fi'n ista yn y fan yn deud faint o lefrith roedd pawb i fod i'w gael, a fynta'n mynd â fo at y drws. Chwara teg iddo fo. Dyna ddangos i chi ochr gymdogol y pentre.

I Faes y Garnedd at Yncl Harri ac Anti Luned yr es i'r pnawn hwnnw, ac mi fynnon nhw mod i'n mynd yn syth i ngwely. Mi gafwyd doctor ata i a phob dim, ac mi ddywedodd hwnnw mai wedi cael gwenwyn bwyd o'n i. Ro'n i'n well erbyn drannoeth, diolch i'r drefn.

Ia, yr hen rownd lefrith! Y dyddia yma mae'r rhan fwya o bobol jest yn mynd i'r siop i nôl llefrith, a does gynnon nhw ddim syniad o ble mae o wedi dod. Mae'r busnes wedi'i drawsnewid yn llwyr, a chydig iawn o ddynion llefrith sydd 'na ar ôl erbyn hyn, gwaetha'r modd.

Rŵan yn ôl at y caffi hwnnw ym Metws-y-coed. A finna bellach yn fy arddegau hwyr ac yn y Chweched Dosbarth, ro'n i isio mwy o bres nag on i'n ei gael gan Dad ar y rownd lefrith ac mi ges job yn y caffi 'ma – Caffi Tan Lan. Roedd 'na fecws a siop yn rhan o'r busnes, ac yn y siop ro'n i'n gweithio ar y dechrau, yn gwerthu cacennau, bara ac yn y blaen. Roedd 'na lwythi o ymwelwyr yn dod yno, a'r hyn oedd yn fy synnu fwya oedd cymaint o brynu oedd 'na ar Kendal Mint Cake. Mi oedd hwnnw'n shifftio fel dwn i'm be, am ei fod o'n boblogaidd efo cerddwyr a dringwyr, am wn i, a dyna oedd nifer helaeth o'r ymwelwyr.

Ro'n i'n cael fy nghinio am ddim yng nghefn y caffi bob dydd. Ar y diwrnod cynta mi o'n i wrth fy modd pan ges i datws, cig oen a grefi i ginio. Ew, mi oedd o'n dda, a dwi'n cofio mynd adra'r noson honno a brolio'r cinio 'ma wrth y teulu. Chydig a wyddwn i mai dyna fyddwn i'n ei gael bob dydd trwy'r ha' hwnnw. Argian, mi o'n i wedi cael llond bol arno fo erbyn y diwedd, fel gallwch chi ddychmygu. Doedd 'na ddim dewis – hwnnw oedd y dewis. Un diwrnod, dyma un o'r staff yn gofyn faswn i'n lecio salad cyw iâr am newid. 'Ew, baswn,' meddwn inna. Ond fel roedd hi'n rhoi darn neis o frest cyw iâr ar y plât, dyma'r *chef* yn dod yno a deud: 'Na, dydi o'm yn cael cyw iâr, geith o gig oen!' A dyna ges i efo'r salad, hyd yn oed – cig oen oer. Does ryfedd mod i wedi troi nhrwyn arno am flwyddyn a mwy wedyn. Ella dylswn i fod wedi mynd â brechdanau efo fi, ond mi fasa hynny'n rhyfedd hefyd – mynd â bwyd efo fi a finna'n gweithio mewn caffi! Er hynny, dyddiau da, a llond bol o chwerthin yng nghwmni Gareth Tan Lan, un o feibion y busnes.

Mi fues i'n golchi llestri mewn bwyty arall yn Betws un ha' hefyd. Lle prysur eto, efo'r byseidiau o ymwelwyr oedd yn dod i'r pentre bob dydd. Llenwi a gwagio'r peiriant golchi llestri fyddwn i, a hynny mewn rhyw stafell fechan, boeth ofnadwy. Dyma'r caffi lle bues i'n dadberfeddu a pharatoi'r 'Fresh Conwy Trout'. O edrych ar y bocsys roedd hi'n amlwg mai o'r Dwyrain Pell roeddan nhw wedi dod – pysgod wedi'u rhewi oeddan nhw! Dydi'r bwyty hwnnw ddim yn bodoli erbyn hyn.

Erbyn 1979 ro'n i wedi dechrau ar gwrs gradd mewn Gwleidyddiaeth a Hanes ym Mhrifysgol Aberystwyth, ac felly roedd gwaith gwyliau yn fwy hanfodol byth. BSc Econ oedd teitl y radd, ond dipyn o con oedd yr Econ yn fy achos i! Roeddech chi'n gorfod astudio

Economeg yn y flwyddyn gynta fel rhan o'r cwrs, a dwi'n cofio dod allan o'r ddarlith gynta heb ddallt yr un gair. Ond trwy ryw lwc mi ddywedodd y coleg nad oedd raid gneud Economeg yn y flwyddyn gynta, wedi'r cwbl, ac mi ges i astudio hanes economaidd Prydain, ac roedd hynny'n llawer mwy at fy nant i. Faswn i ddim yn deud mod i'r myfyriwr mwyaf cydwybodol erioed: gneud be oedd raid a dim llawer mwy na hynny ro'n i. Roedd 'na gymaint o 'atyniadau' eraill, yn doedd? Yn Neuadd Pantycelyn ro'n i'n aros, ac roedd 'na ddisgwyl i chi gymdeithasu efo gweddill y criw. Yn y Cŵps, y Llew Du a'r Ungorn roedd y cymdeithasu 'ma'n digwydd gan fwya.

Un o fy ffrindiau gorau oedd Glyn Heulyn o Synod Inn. Roedd o'n gneud yr un cwrs â fi, ond yn wahanol i mi fe astudiodd o Economeg yn ei flwyddyn gynta, ac mae'n amlwg bod hynny wedi talu ar ei ganfed iddo fo achos mae o'n berchen ar Westy'r Harbwr yn Aberaeron erbyn hyn! Mi wnaethon ni gyfarfod yn ystod y dyddiau cynta yn y coleg ac rydan ni'n dal yn ffrindiau hyd heddiw. Roeddan ni'n 'cydweithio' yn effeithiol iawn efo'n gilydd yn y coleg – hynny ydi, roedd o'n mynd i un ddarlith a finna'n mynd i'r un nesa, ac wedyn yn rhannu nodiadau. A phetai'r *ddau* ohonan ni wedi methu cyrraedd darlith, roedd Sian Pari Huws (cyd-fyfyriwr, a chyd-weithiwr i mi ers blynyddoedd bellach) wastad yn barod i helpu!

Ymhlith y ffrindiau eraill roedd Tudur Owen (nid y digrifwr ond y cyfreithiwr o Gaernarfon); Dei Ty Croes (David Evans, sy'n bennaeth Coleg Menai erbyn hyn); Geraint Hughes sydd bellach yn ddirprwy yn Ysgol

Botwnnog, a Dylan Roberts (Dylan Manceinion, am fod ei dad yn weinidog yno) – mi fues i'n byw yn ei dŷ o yn yr Wyddgrug am sbel yn ddiweddarach.

Tra o'n i yn y coleg mi ges waith gwyliau ym mwyty Wimpy, eto ym Metws-y-coed. Yr hen Station Cafe oedd hwn. Mi aeth yn Dil's Diner am sbel am mai Dilwyn Jones oedd enw'r rheolwr – cymeriad a hanner oedd wedi bod yn gweithio yno ers blynyddoedd. Mae o wedi gneud yn dda iddo fo'i hun yn y busnes arlwyo 'ma, ac yn berchen bistro yn y pentre erbyn hyn. 'Bob 17' oedd bia'r Station Cafe bryd hynny – y '17' ar ôl rhif ei dŷ ('run fath â Stan Nymbar 8!). Rhyw fath o *franchise* oedd Wimpy, a Dilwyn oedd y rheolwr.

Mi oedd 'na hwyl i'w gael yno, ac erbyn hyn ro'n i wedi graddio o olchi llestri i goginio, er mai dim ond byrgyrs a tships a hyn a llall ar y rhadell oedd 'na. Mi oedd hi'n rhyfeddol o brysur yn fanno hefyd, a ninna'n gweithio shifftiau o saith y bore tan dri ac o hanner dydd tan ddeg y nos. Mi oedd Dilwyn yn gês, wastad yn tynnu coes ac yn y blaen. Ond roedd o'n mynnu safonau uchel yn y bwyty hefyd. Weithiau, pan fyddai hi wedi tawelu chydig erbyn canol y pnawn, mi fydden ni'n mynd am beint, y fo a fi, i westy'r Gwydyr ryw ddau gan llath i fyny'r ffordd – nes dôi rhywun i'n nôl ni ymhen hir a hwyr, a gweiddi: 'Dil a Dyl, dowch yn ôl, ma 'na giw at y drws acw!'

Ar y pryd ro'n i'n eitha hoff o goginio adra hefyd, ond dwi'n fwy felly erbyn heddiw. Mi wna i bob math o bethau, o ginio dydd Sul i gyrri a ballu. Dyna oedd gwaith fy nhaid ar ochr Mam: cogydd ar y môr – *confectioner*, a bod yn fanwl gywir. Roedd gan y teulu fecws yng nghanol Aberffraw ac roedd y meibion i gyd yn gweithio yno fel pobyddion. Aeth Taid, sef Cledwyn Price, i'r môr a mynd i bob rhan o'r byd. Mae 'na lun ohono fo'n chwarae pêl-droed yn erbyn tîm o'r Ariannin yn Buenos Aires. Mi aeth i fyw i'r Felinheli ar ôl dod adref, a gneud cacennau i gwmni Roberts. Yno y cafodd Mam ei magu. Cafodd Taid ei glwyfo'n ddrwg yn y Rhyfel Byd Cyntaf ac mi fuodd mewn cartref am ddwy flynedd yn gwella. Tra oedd o yno mi wnïodd emblem y Ffiwsilwyr Cymreig fel rhan o'r therapi. Mae hwnnw'n werth ei weld.

Mi fuodd Yncl Alf, brawd Taid, yn cadw'r becws yn Aberffraw am flynyddoedd, ond mae ei feibion wedi mynd i feysydd gwahanol iawn. Mae John Price, Machynlleth, yn gefnder i Mam – fo ydi'r gof arian sy wedi gneud sawl coron eisteddfodol, yn cynnwys un Eisteddfod yr Urdd Eryri 2012. Ei frawd, Tom, wnaeth y gadair yn Eisteddfod Bro Ogwr 1998, a John wnaeth y tlws ar gyfer arweinydd Cymru a'r Byd yn yr un eisteddfod. Mae Dafydd yn frawd arall iddyn nhw. Maen nhw i gyd yn dda efo'u dwylo – yn wahanol i mi!

Ar ôl graddio, mi benderfynais neud ymarfer dysgu, gyda Hanes fel y prif bwnc. Nid mod i wedi bwriadu bod yn athro o'r cychwyn na dim felly, ond roedd yn esgus i gael aros yn Aberystwyth am flwyddyn arall! Fues i'n ffodus iawn o gael y diweddar Gareth Evans yn ddarlithydd Hanes. Roedd o'n wych – y darlithydd gorau ges i tra bues i yn y coleg. Roedd o'n cymryd mwy o ddiddordeb yn ei fyfyrwyr na'r rhan fwya o ddarlithwyr, ac roedd rhywun yn teimlo y gallai gael sgwrs gall efo fo.

Mi wnes fy ymarfer dysgu cynta yn Ysgol y Moelwyn, Blaenau Ffestiniog, ym mis Tachwedd 1982, ac mi ddaru hi fwrw glaw bob dydd am fis cyfan! Ond mi oedd y plant yn hoffus ac agos atoch chi, chwarae teg. Huw Lewis oedd y prifathro. Mi aeth yn brifathro i Ysgol Maes Garmon yn ddiweddarach, lle ces i fy swydd gynta fel athro Hanes a Gwleidyddiaeth. Fy mhrifathro ym Maes Garmon ar y dechrau oedd Aled Lloyd Davies, a Rhys Jones ac Ednyfed Williams yn ddirprwyon iddo. Gwilym Evans oedd pennaeth yr Adran Hanes. Roedd o newydd symud yno o Ysgol Glan Clwyd, felly roeddan ni'n dau'n dechrau yno'r un pryd, ac mi ddois i'n ffrindiau da efo fo.

Yna, yn 1988, mi ges innau swydd pennaeth yr Adran Hanes yng Nglan Clwyd. Fues i ddim yno'n hir iawn chwaith! Ro'n i'n mwynhau dysgu a bod yn y dosbarth efo'r plant, ond doedd hi rioed wedi bod yn uchelgais gen i i fod yn athro, a do'n i ddim isio bod yn y swydd am weddill fy oes. Ro'n i'n ymwybodol hefyd y buaswn yn hoffi gneud rhywbeth arall rywbryd yn ystod fy mywyd, ac fel y cewch weld yn nes ymlaen fe ddaeth y cyfle hwnnw 'trwy ddirgel ffyrdd'.

Ond diolch i nghyfnod fel athro, o leia mi fedra i ddeud mod i wedi rhannu llwyfan efo Rhys Ifans! Roedd o'n ddisgybl Chweched Dosbarth ym Maes Garmon, ac er na wnes i rioed ei ddysgu, roedd dau o'r staff, Eirian ac Edwin Jones, yn gneud llawer iawn efo'r Urdd ac yn llwyfannu sioeau cerdd yn yr ysgol. *Nia Ben Aur* oedd y cynhyrchiad un flwyddyn; roeddan ni fel athrawon yn y corws, a Rhys oedd yn actio rhan Osian. Roedd ei dalent

Dim ots be fyddai'r tywydd . . .

. . . roedd Dad yn benderfynol fod pobol Capel Garmon a'r cyffiniau yn cael eu llefrith

Cwmni Capel Garmon yng Ngŵyl Ddrama'r Odyn yn 1979.
O'r chwith: Walter Williams (Wali Cefn Rhydd),
Dafydd Alwyn Hughes (y cynhyrchydd), Bethan Roberts, fi a Dad

Fi a Dilwyn ger y Wimpy

Ar y byrgyrs!

Wythnos y Glas yng ngholeg Aberystwyth, 1979.
O'r chwith: Alun Llewelyn, Glyn Heulyn, fi, Gethin Scourfield
Sioned Wiliam a Rhian Morgan

Tîm pêl-droed Neuadd Pantycelyn, 1979.
Blaen: Bryn Tomos, Dei Tŷ Croes, Irfon fy mrawd, Llion Williams (George C'mon Midffîld*!), Elwyn Williams ac Ian Jones (bellach, Prif Weithredwr S4C). Cefn: Dylan Roberts, Gronw Edwards, Tudur Owen, fi a Geraint Hughes*

Efo Glyn Heulyn yn Aber

Graddio yn 1982

'Perfformio' yng nghynhyrchiad Ysgol Maes Garmon
o Nia Ben Aur. *Fi sy efo'r meic*

Cast llawn Nia Ben Aur. *Fi'n drydydd o'r dde yn y blaen. A phwy sy â'r meic yn fama, dwch? Neb llai na Rhys Ifans!*

Dal ar y byrgyrs! Efo rhai o staff a disgyblion Maes Garmon yn Steddfod yr Urdd, yr Wyddgrug, 1984

Taith i Munich efo disgyblion ac athrawon Ysgol Glan Clwyd yn 1989. Martin Davies (yn y melyn) ydi pennaeth yr ysgol erbyn hyn

ATGYNHYRCHWYD TRWY GANIATÂD S4C/ FFOTOGRAFFYDD: GERALLT LLEWELYN

Clawr Sbec *(cylchgrawn S4C) yn Hydref 1988*

LLUN: ROB STRATTON

Ennill gwobr Darlledwr Newyddion y Flwyddyn BT yn 1997

Holi Bobby Gould, cyn-reolwr tîm pêl-droed Cymru, cyn y gêm rhwng Cymru a'r Eidal yn Anfield, Medi 1998

yn amlwg yr adeg honno, ond wnes i ddim dychymygu ar y pryd y buaswn i rai blynyddoedd yn ddiweddarach yn ei holi fel gohebydd ac yntau'n seren fyd-enwog!

Pêl-droed

Mae gen i broblem,
Mae hi genna i rioed,
Dwi'n methu stopio siarad am bêl-droed.

Dach chi wedi clywed y gân yna gan grŵp Y Profiad, siawns, yn do? Wel, mi allasai hi'n hawdd fod wedi cael ei sgwennu ar fy nghyfer i. Dwi'n hoffi pob math o chwaraeon, ond mae'n deg deud fod gen i dipyn o ddiddordeb mewn pêl-droed. Obsesiwn? Ella wir . . . ond dwi'n sicr ddim isio stopio siarad am y gêm brydferth, beth bynnag.

Dwi'n gwybod yn union pryd y dechreuodd fy nghariad at bêl-droed. Diwedd 1969 oedd hi a finna'n wyth oed. Meirion fy nghefnder o Benmachno oedd yn gyfrifol. Mi ges i hen bâr o sgidia ffwtbol ganddo fo – rhai lledr brown i fyny at fy ffêr, efo hoelion bach yn dal y styds lledr yn eu lle! Argol, mi o'n i wedi gwirioni, ac o hynny ymlaen pêl-droed oedd popeth.

Mae pawb sy'n fy nabod i yn gwybod yn iawn mai un tîm sydd 'na i mi – Leeds United. Ond mae gen i gyfaddefiad i'w neud yn y fan yma. Man U o'n i'n gefnogi i gychwyn. Do, mi glywsoch chi'n iawn – Manchester United oedd fy nhîm i ar y dechrau, a hynny am fod pawb arall yn eu cefnogi nhw ar y pryd, am wn i. Ond dim ond am ychydig wythnosau y buodd hynny – mi wnes i gallio wedyn, a Leeds ydi hi wedi bod byth ers hynny.

Yn 1969 mi ges i flwyddlyfr pêl-droed yn bresant Dolig, ac mi fyddwn i'n cael y cylchgrawn *Goal!* hefyd bob wythnos. Tua mis Mawrth 1970 mi oedd 'na lun o Gary Sprake, gôl-geidwad Cymru, yn hwnnw – nid ffotograff ond llun wedi cael ei beintio, fel portread ohono fo.

'Dew, mae hwn yn hen lun sâl,' medda fi.

A dyma Irfon yn deud, 'Ew na, mae o'n lun da. Os a' i â fo i ben draw'r stafell fel hyn, sbia arno fo rŵan . . .'

'O ia, ti'n iawn, mae o *yn* un da.'

A dyma finna, am ryw reswm – am ei fod o'n golwr Cymru, ella, yn deud wedyn, 'Reit, dwi'n cefnogi Leeds o hyn ymlaen.' A dwi'n dal i neud hyd heddiw.

Mi oedd hi'n flwyddyn go fawr iddyn nhw yn 1970, ond boddi yn ymyl y lan wnaethon nhw ym mhob cystadleuaeth: ail i Everton ym mhencampwriaeth yr hen Adran Gyntaf, colli yn rownd gyn-derfynol Cwpan Ewrop yn erbyn Celtic, a cholli wedyn i Chelsea yn rownd derfynol Cwpan yr FA. Ro'n i'n teimlo bron fel taswn i wedi rhoi rhyw jincs arnyn nhw!

Dwi'n cofio ffeinal Cwpan yr FA yn berffaith glir. Yn Wembley y cafodd y gêm ei chwarae – cae gorau'r wlad, i fod – ond roedd o'n debycach i gae tatws y diwrnod hwnnw am fod yr Horse of the Year Show wedi bod yno'r wythnos cynt. Felly mi oedd o mewn cyflwr ofnadwy, ond dyna fo, roedd o 'run fath i'r ddau dîm, ma siŵr. Dwy gôl yr un oedd hi ar y diwedd a hynny ar ôl amser ychwanegol, a Gary Sprake, yn anffodus, yn gneud smonach o bethau gan adael i gic wan Peter Houseman fynd dan ei fol. Doedd 'na ddim ciciau o'r smotyn i benderfynu'r enillydd bryd hynny, felly mi wnaethon nhw ailchwarae yn Old Trafford. Yn fanno mi aeth Leeds ar y blaen ond colli o 2–1 ar ôl amser ychwanegol wnaethon ni, ac mi o'n i'n ddyn siomedig iawn pan sgoriodd David Webb y gôl dyngedfennol. Dwi'n cofio crio oherwydd ein bod ni wedi colli. Roedd o'n golygu cymaint i mi. Yn sicr, do'n i ddim yn difaru dechrau eu cefnogi nhw, a do'n i ddim am droi cefn ar fy arwyr newydd na'u harweinydd, Don Revie.

Diwedd y chwedegau a dechrau'r saithdegau oedd oes aur Leeds United, ac mi fedra i adrodd enwau'r tîm mewn 4.5 eiliad hyd yn oed rŵan: Sprake, Harvey, Reaney, Cooper, Bremner, Charlton, Hunter, Lorimer, Clarke, Jones, Giles, Gray a Madeley.

Mi oedd 'na fwy yn gwylio'r gêm ailchwarae honno rhwng Leeds a Chelsea ar y teledu na fu'n gwylio unrhyw ffeinal FA. Yn wir, mae'n un o'r digwyddiadau teledu gafodd fwya o wylwyr erioed – dros 28 miliwn. Roedd 'na'r diddordeb rhyfedda yn y gystadleuaeth bryd hynny, ond mae Cwpan yr FA wedi mynd yn ddim byd, bron iawn, y dyddiau yma – sy'n biti, a deud y gwir. Dydi'r awyrgylch ddim 'run fath rywsut. Mi fyddai 'na ryw gynnwrf ar ddiwrnod gêmau Cwpan yr FA, a phawb yn disgwyl ambell i sioc. Er bod hynny'n dal i ddigwydd o hyd, mae'r cynnwrf wedi mynd i raddau helaeth wrth i Uwch-gynghrair Lloegr ddenu'r sylw a'r arian i gyd.

Beth bynnag, pan o'n i'n dal yn yr ysgol gynradd ro'n i'n gorfod mynd i ngwely pan oedd gêmau canol wythnos yn cael eu dangos ar raglenni fel *Sportsnight with Coleman*. Ond mi oedd llofft Irfon a fi uwchben y stafell fyw lle roedd y teledu, ac yn digwydd bod, fy ngwely i oedd reit uwchben y bocs. Felly pan fyddai 'na gêmau ganol wythnos mi fyddwn yn gorwedd o dan y gwely a nghlust ar y llawr yn gwrando ar y sylwebaeth! Weithiau byddai Mam a Dad yn fy nghlywed yn rowlio ar y llawr ac yn dod i fyny i weld be oedd yn mynd ymlaen, a finna'n cymryd arnaf mod i wedi disgyn allan o'r gwely.

Mi fyddai'n frwydr acw ar nos Sadwrn hefyd, achos do'n i ddim yn cael aros ar fy nhraed i weld *Match of the Day*, chwaith, yn aml iawn. Dyna'r unig beth oedd ar gael, fwy neu lai, nes daeth y *Big Match* ar ITV, ond doeddan ni ddim yn cael ITV oherwydd doedd 'na ddim modd ei dderbyn yn Capel Garmon. Mi oeddan ni'n cael RTE o Iwerddon yn iawn fel arfer, dibynnu ar y tywydd, ac am wyth o'r gloch ar nos Iau roedd y rheiny'n dangos gêmau fyddai wedi bod y noson cynt. Mi gawson ni ITV yn 1973, y flwyddyn y collodd Leeds yn ffeinal Cwpan FA Lloegr i Sunderland. Mwy am hynny yn y man.

Mi fyddwn yn sleifio weiarles – transistor Bush frown – i fyny efo fi i'r llofft i wrando ar gêmau ar yr hen Radio 2 gyda Peter Jones a Maurice Eddleston yn sylwebu. Doeddach chi ddim yn cael gwybod ymlaen llaw lle roeddan nhw, ac yna fe fyddai rhywun yn deud: 'Over now to Peter Jones . . .' ac mi fyddai yntau'n deud, 'I'm high up in the stands here at Elland Road . . .' (neu yn Old Trafford neu ble bynnag), ac mi oedd hynny'n cydio yn fy nychymyg i. Ro'n i wastad isio bod yn sylwebydd ar ôl clywed y frawddeg yna.

Mi fyddwn yn sylwebu fy hun pan fyddai Irfon a finna'n chwarae ffwtbol o flaen y tŷ adra. 'Jones to Clarke – one nil!' Y math yna o beth, yn arddull unigryw David Coleman. Roedd o'n dipyn o embaras pan fyddai rhywun yn digwydd cerdded ar hyd y ffordd ac yn fy nghlywed i'n gweiddi, 'It's a *goooal*!'

Felly 1970 oedd blwyddyn gynta f'obsesiwn i efo pêl-droed, a dwi'n siŵr fod Cwpan y Byd yn Mecsico'r flwyddyn honno wedi cyfrannu at y peth. Mi oedd honno'n Gwpan y Byd wych. Gan fod Mecsico ar amser gwahanol i ni, mi fyddwn i'n codi tua chwech o'r gloch y bore i weld uchafbwyntiau'r diwrnod cynt cyn mynd i'r ysgol. Roedd Pele a'r holl sêr eraill – Rivelino, Tostão, Jairzinho, Carlos Alberto a'r rheiny – yn chwarae i Brasil, ac roeddan nhw'n chwarae pêl-droed anhygoel. Yn anffodus doedd Cymru ddim yno ond roedd gynnoch chi Loegr yn amddiffyn y gwpan enillon nhw yn Wembley bedair blynedd ynghynt, Gorllewin yr Almaen (fel roeddan nhw ar y pryd) a'r Eidal. Ewadd, mi oedd hi'n Gwpan y Byd a hanner.

Dwi'n cofio dod adra o'r capel ar nos Sul i weld Lloegr yn erbyn Brasil, pan enillodd Brasil 1–0 a Gordon Banks yn y gôl i Loegr yn gneud yr arbediad enwog hwnnw o beniad Pele, a Pele'n ei longyfarch o! Yna'r Almaen yn curo Lloegr 3–2 ar y nos Sul ganlynol, ac wythnos union yn ddiweddarach, Brasil yn curo'r Eidal 4–1 yn y ffeinal. Be sy'n rhyfedd ydi mod i'n cofio sgôrs gêmau'r cyfnod yna, ond ddim yn cofio rhai'r Cwpan y Byd ddwytha! Doedd gen i ddim llawer o ddim byd arall i feddwl amdano fo yn 1970, mae'n amlwg.

Ar ddydd cynta'r flwyddyn yn 1972 y ces i fynd i weld

gêm am y tro cynta, a Leeds yn erbyn Lerpwl yn Anfield oedd yr achlysur hwnnw. Mynd efo Irfon a Dad a ffrindiau i'r teulu, Yncl Emlyn a Nia ei ferch oedd yn cefnogi Lerpwl. Roedd Dad yn deud ei fod o'n cefnogi Leeds ac Irfon yn cefnogi West Ham. Roedd mynd i'r gêm yn agoriad llygad: y stadiwm anferth, yr holl bobol (54,847), heddlu ar gefn ceffylau, ac awyrgylch anhygoel.

Roeddan ni wedi mynd i'r cae yn gynnar. Sefyll roeddan ni, ym mhen Anfield Road o'r cae, y pen gyferbyn â'r Kop. Wel, mi oedd hi'n llawn dop yno, a be dwi'n gofio ydi dod i fyny'r grisiau at y teras a gweld y dorf yn fanna, a'r cae gwyrdd gwyrdd 'ma yng nghanol yr holl lwydni, fel tae. Dyna wnaeth fy nharo i ar y pryd. Leeds enillodd 2–0, ac Allan Clarke a Mick Jones yn sgorio. Ond yr hyn wnaeth yr argraff fwya arna i oedd hyn: deg oed o'n i ar y pryd a doedd dim modd gweld fawr ddim o'r teras a ninna yng nghanol y dorf, ond mi afaelodd y Sgowsar 'ma yndda i a nghodi fi i eistedd ar y *crush barrier*, felly mi welais i'r gêm yn iawn. Roedd y dorf yn mynd yn ôl ac ymlaen fel tonnau, a finna'n dal yn sownd ar y peth 'ma. Ond ro'n i'n hollol iawn ac yn fy ngogoniant yn fanno yn cael gweld y gêm. Do, mi fues i'n lwcus ofnadwy, a diolch i'r Sgowsar 'na neu faswn i wedi gweld affliw o ddim.

Mi chwaraeodd tîm Lerpwl a'u cefnogwyr ran fawr mewn pennod arall yn fy mywyd – ro'n i'n sylwebu ar y gêm pan ddigwyddodd trychineb Hillsborough yn 1989. Mwy am hynny eto.

Yn ôl i'r gêm 'na ar ddydd Calan 1972. Mae hi'n dal yn hollol fyw yn y cof, y goliau a bob dim, er eu bod nhw'n anffodus wedi cael eu sgorio ym mhen arall y cae. Mae'r holl beth fel rhyw freuddwyd. Mi aethon ni'n ôl i ganol y dre ar ôl y gêm, a phobol yn dod rownd yn gwerthu'r *Football Pink* – papur gyda'r nos – efo adroddiadau am rai o'r gêmau. Be oedd yn fy rhyfeddu fi'n fwy na dim oedd bod 'na luniau o'r gêm ynddo fo, y gêm roeddan ni newydd ddod allan ohoni! Dim ond adroddiad o'r hanner cynta oedd ynddo fo, ond dwi'n meddwl eu bod nhw'n rhoi'r sgôr derfynol reit ar y gwaelod y munud dwytha cyn i'r papur gael ei argraffu. Finna'n rhyfeddu bod hwn ar gael a ninna ddim ond newydd ddod o'r cae! Y reddf newyddiadura'n dechrau gafael, ella?

Ar ddiwedd y tymor hwnnw mi enillodd Leeds Gwpan yr FA trwy guro Arsenal o gôl i ddim yn Wembley. Ro'n i yn fy seithfed nef ac yn gweiddi 'Clarke, one nil!' am wythnosau!

Mae 1973 yn aros yn y co' am y gêm rhwng Leeds a Sunderland yn ffeinal Cwpan yr FA. Ia, colli wnaethon ni o gôl i ddim, ond mae'r gêm yn enwog am berfformiad Jim Montgomery yn y gôl i Sunderland. Hyd heddiw mae'n anodd credu sut llwyddodd o i gadw'r bêl o'r rhwyd. Mi oedd y canlyniad yn dipyn o sioc achos roedd Sunderland yn yr hen Ail Adran yr adeg honno.

Mi gafodd Leeds dymor rhyfeddol yn 1973/74, yn ennill pencampwriaeth yr Adran Gyntaf a mynd am ddau ddeg wyth gêm heb golli. Y flwyddyn ganlynol mi gollon nhw yn ffeinal Cwpan Ewrop yn erbyn Bayern Munich ym Mharis. Siom arall.

Yn 1977 y gwnes i ymweld ag Elland Road am y tro cynta, pan o'n i'n un ar bymtheg oed. Aeth Nia (yr un

Nia ag oedd efo ni yn Anfield yn 1972) a fi yno ar y trên i weld Leeds yn chwarae yn erbyn Ipswich, a ninna'n ennill 2–1. Ar ôl i mi basio fy mhrawf gyrru ro'n i'n gallu mynd yno'n amlach wedyn. Roedd gynnon ni fan Datsun 120Y (yn honno ro'n i wedi pasio'r prawf), a dwi'n cofio un achlysur yn arbennig pan o'n i yn y Chweched Dosbarth yn Ysgol Dyffryn Conwy. Ro'n i wedi hen arfer mynd i'r Cae Ras i weld sêr Wrecsam yn chwarae, ond roedd Leeds yn chwarae yn erbyn QPR ryw nos Wener yn gynnar ym mis Mai 1979 a finna a rhai o fy mêts yn sâl isio mynd yno. Ond chawn i ddim benthyg y fan am fod Dad ddim isio i mi fynd ar y draffordd a finna heb basio mhrawf ers cymaint â hynny. Mi oedd Geraint Jarman neu rywun yn canu yn Dixieland, y Rhyl, yr un noson, a dyma fi'n gofyn i Dad gawn i fenthyg y fan i fynd i fanno, ta? O, roedd hynny'n iawn, medda fo. Wrth gwrs, doedd gen i ddim bwriad mynd yno, nagoedd? I Elland Road ro'n i isio mynd!

Fedrwn i ddim deud mod i'n mynd i'r Rhyl yn syth ar ôl te, felly dyma ddeud mod i'n mynd i chwarae snwcer yn Betws-y-coed efo fy ffrindiau cyn mynd i'r gìg. Ac i ffwrdd â ni – yn syth am yr M56, yr M6 a'r M62! Leeds enillodd 4–3 – ufflon o gêm dda. Y broblem oedd, roeddan ni wedi cyrraedd yn ôl i Ddyffryn Conwy yn rhy handi, achos mi fasa Mam a Dad yn gwybod na faswn i byth yn ôl o'r Rhyl am 11.30, felly be wnes i oedd eistedd yn y fan yng ngwaelod y ffordd i ladd amser, a chuddio'r *match programme*, wrth reswm! Yn y bore dyma nhw'n holi, 'Sut aeth hi neithiwr?' Fuo bron i mi â deud, 'O da iawn, gaethon ni bedair!' Chawson nhw ddim gwybod y gwir am flynyddoedd! Erbyn hynny, mi o'n i'n mynd i weld Leeds ar fws Cefnogwyr Leeds United Gogledd Cymru – teithiau llawn hwyl a chyffro wedi eu trefnu gan Emyr Wyn Jones o Bwllheli.

Fues i'n chwarae dipyn yn yr ysgol ond do'n i ddim yn chwaraewr o safon uchel. Chwarae wedyn yn y coleg, ac ar ôl dechrau dysgu, chwarae i Rhuthun ac i Cefn yng Nghynghrair Haf Dyffryn Clwyd – pêl-droed go iawn! Asgellwr chwith o'n i er mod i'n droed dde. Ond isio bod yn Eddie Gray o'n i, dwi'n meddwl. Breuddwyd ffŵl!

Hillsborough

Ebrill y pymthegfed, 1989
3.06 pm

Mae'r dyddiad a'r amser wedi'u serio ar fy nghof, ac mi fydd y golygfeydd y bues i'n dyst iddyn nhw'r diwrnod hwnnw efo fi am byth. Mae sôn am y diwrnod yn dal yn boenus i mi, felly dychmygwch sut mae hi ar y rhai gollodd anwyliaid neu ffrindiau yn nhrychineb Hillsborough.

Ond cyn hynny mae'n rhaid mynd yn ôl dair blynedd, i ha' 1986. Fel dwi wedi sôn, ro'n i'n wastad wedi bod isio sylwebu ar bêl-droed. Ac ar ôl gadael coleg a dechrau ar fy ngyrfa fel athro yn Ysgol Maes Garmon, fe ddaeth y cyfle hwnnw.

Roedd y BBC isio rhywun i sylwebu ar gêmau ar bnawniau Sadwrn. Mi anfonais i lythyr at R. Alun Evans, pennaeth BBC Bangor ar y pryd, a chael llythyr yn ôl yn deud ei fod wedi anfon fy nghais ymlaen at Emyr Wyn Williams, cynhyrchydd yn yr Adran Chwaraeon yng Nghaerdydd. Mi ddaeth llythyr ganddo fo wedyn yn gofyn i mi fynd i weld gêm – unrhyw gêm – a gneud tâp munud a hanner o adroddiad ar ei diwedd.

Felly dyna wnes i – mynd i weld Wrecsam yn erbyn

Chesterfield yng Nghwpan y Cynghrair. Es yno efo Nic Parry, cyfaill da hyd heddiw, er mwyn iddo fo gael dangos i mi be i neud. Mater o neud nodyn o'r manylion oedd o, ac wedyn mynd adref i recordio adroddiad ar gasét. Duwcs, mi ges i lythyr yn ôl yn deud: 'Diolch am y tâp, mae o'n dangos addewid. Mi ydan ni wastad isio lleisiau newydd.' Ym mis Medi roedd hynny, a ganol Hydref mi ges alwad ffôn yn yr ysgol amser cinio, a'r ysgrifenyddes yn deud bod 'na rywun o'r BBC yng Nghaerdydd isio gair efo fi.

'Sumâi,' meddai'r llais 'ma. 'Emyr Wyn Williams sy 'ma . . .'

'Ia ia,' meddwn i – yn meddwl yn siŵr mai un o'r athrawon eraill oedd yn tynnu coes, achos mi oedd 'na un neu ddau felly yno! Ond Emyr Wyn Williams oedd yno go iawn, yn gofyn i mi fynd i weld gêm Man U a Sheffield Wednesday. Roedd hyn jest cyn i Alex Ferguson gymryd drosodd. Ron Atkinson oedd wrth y llyw ond doedd o ddim wedi bod yn cael canlyniadau da iawn ac roedd o dan bwysau. Roedd Radio Cymru isio rhagolwg o'r gêm, wedyn mi fuasen nhw'n dod ata i yn ystod y gêm am yr uchafbwyntiau diweddaraf ac adroddiad hanner amser, ac wedyn adroddiad ar y diwedd. Ian Gwyn Hughes oedd yn cyflwyno yn y stiwdio, a'r peth dwytha ddywedodd Emyr wrtha i oedd i gofio deud y sgôr ddiweddaraf ar ddiwedd pob adroddiad, er mwyn i Ian Gwyn Hughes wybod pryd i ddod i mewn. Mi fues i'n ymarfer ar y ffordd yn y car ar yr M56, ac yn gorffen bob tro trwy ddeud 'Manchester United dim, Sheffield Wednesday dim'.

Dyma gyrraedd Old Trafford, ac erbyn hyn roedd yr

atgofion i gyd yn dod yn ôl o'r dyddiau pan fyddwn i'n gwrando ar y radio a Peter Jones yn deud ei fod o yn y pwynt sylwebu 'high up in the stands here at Old Trafford'. A dyma finna rŵan – os nad yn uchel yn y 'gantry' – yn sicr yn gwireddu breuddwyd.

Yn lloc y wasg oeddwn i, ac mi oedd o'n lle rhyfeddol. Brechdanau, cacenni a hynny leciach chi o baneidiau i fois y wasg, a finna'n pinsio fy hun: 'Be ufflon *dwi*'n neud yn fan hyn?'

Yn y dyddiau cyn ffonau symudol, mi oedd 'na ffonau ar gyfer pawb yn lloc y wasg, ac un boi yn gyfrifol am y lle – fo oedd yn deud pwy oedd yn cael pa ffôn. Doedd o'n ddim byd i'w neud â'r clwb ond y boi yma oedd brenin lloc y wasg, ac mi oedd o'n fy nghasáu i o'r funud y gwelodd o fi gynta.

'Why are you Welsh here?' oedd hi. Roedd o'n methu dallt pam bod Radio Cymru'n dod yno, achos dwi'm yn meddwl bod Radio Lancashire a'r rheina'n cael dod oherwydd bod Radio 5 yno.

Ta waeth, mi ges i fy ffôn a hyn a'r llall, a setlo i lawr i wylio'r gêm. Mi sgoriodd Sheffield Wednesday, a dyma negas o'r stiwdio yn deud: 'Draw â ni i Old Trafford am y sgôr ddiweddaraf . . .' Y foment fawr! A dyma finna'n gneud fy adroddiad, a disgrifio sut roedd Mark Chamberlain wedi sgorio i Sheffield Wednesday, ac ar y diwedd dyma fi'n deud, 'Manchester United dim, Sheffield Wednesday dim', am mai dyna o'n i wedi bod yn ei ymarfer! Roedd hi'n 1–0 go iawn! Ond wnaeth o ddim llawer o wahaniaeth, mae'n rhaid, achos y diwrnod wedyn mi oedd Emyr ar y ffôn yn holi o'n i ar gael y Sadwrn nesa. Fel'na datblygodd petha – o un Sadwrn i'r llall.

Cyn hynny, am ryw reswm, doeddan nhw ddim yn gneud yr hen Adran Gyntaf, felly fi oedd y cynta mewn ffordd ac ro'n i'n cael mynd i'r gêmau gorau. Roedd John Hardy a Nic Parry yn mynd i gêmau timau Cymru bryd hynny ac yn rhoi sylwebaeth lawn, tra o'n i'n mynd i Leeds, Lerpwl, Man U, Everton neu rwla bob wythnos. Do'n i ddim yn cwyno, wrth gwrs, er ei bod hi'n anodd bod yn ddiduedd os ma Leeds oedd yn chwarae, yn enwedig os o'n i'n teimlo'u bod nhw wedi cael cam.

Ar ôl hynny, mi ges i gyfresi bach yn y BBC ym Mangor – *Ym Mhen Draw'r Byd,* cyfres fer yn holi pobol oedd wedi bod ar deithiau diddorol dramor, ac *Wrth y Lliw*, cyfres o raglenni'n canolbwyntio ar un lliw bob wythnos (efo caneuon yn cynnwys y lliw hwnnw, ac unrhyw beth yn ymwneud â'r lliw). Chwarae ar eiriau eto.

Yn Ebrill 1989 mi ges i alwad i fynd i roi adroddiad ar gêm Lerpwl a Nottingham Forest yn Hillsborough, yn rownd gyn-derfynol Cwpan FA Lloegr. Roedd John Hardy a Nic Parry yn digwydd bod i ffwrdd.

Doedd 'na ddim digon o ffonau yn lloc y wasg yn Hillsborough, felly'r noson cyn y gêm ro'n i wedi gorfod casglu ffôn symudol o orsaf reilffordd Wrecsam, un oedd wedi'i anfon yno o Gaerdydd. Es i weld Dafydd Roberts yn ei gartre ym Mhwll-glas, ger Rhuthun (roedd o'n sylwebu ar y gêm gyn-derfynol arall, yr un rhwng Everton a Norwich yn Villa Park), i neud yn siŵr mod i'n deall y ffôn yn iawn. Dyna lle roedd y ddau ohonan ni'n cael dipyn o hwyl yn ymarfer efo'r ffonau 'ma. Doeddan nhw ddim fel ffonau symudol heddiw – roeddan nhw'n anferth o bethau trwsgwl, fel brics.

Drannoeth, Ebrill y pymthegfed, draw â fi i Sheffield. Diwrnod braf a'r haul yn tywynnu a dim cwmwl yn yr awyr. Roedd yr M62 yn dawel iawn a finna wedi disgwyl gweld ffans Lerpwl ar y ffordd i'r gêm, ond welais i fawr ohonyn nhw. Ro'n i yn Sheffield yn rhy gynnar, a deud y gwir; roedd 'na dipyn o ffans Forest o gwmpas, ond fawr ddim o rai Lerpwl wedi cyrraedd. Wnes i'm meddwl dim am y peth ar y pryd, ond mi oedd hynny'n arwyddocaol wedyn. Ro'n i'n barod yn fy lle, ac wedi gneud yr holl waith paratoi – casglu ffeithiau am y timau a'r chwaraewyr – sy'n beth angenrheidiol i unrhyw sylwebydd, a'r tro 'ma roedd yn debygol y byddai angen sylwebaeth lawn ar yr ail hanner hefyd.

O edrych yn ôl, ro'n i'n synnu eu bod nhw wedi rhoi'r Kop yn Sheffield i gefnogwyr Forest oherwydd ei bod yn debygol y byddai 'na fwy o gefnogwyr Lerpwl yno. Roedd ffans Forest y tu ôl i'r gôl lle roedd y teras mwya, a ffans Lerpwl ym mhen Leppings Lane. Doedd gen i ddim syniad be oedd enw'r stand yna ar y pryd, gyda llaw, ond erbyn hyn mae o wedi'i serio ar feddwl rhywun. Ro'n i'n gweld ei bod hi dipyn yn wag yn rhai o'r llociau yn y pen yna.

Beth bynnag, dyma'r gêm yn dechrau a Lerpwl yn ymosod a Peter Beardsley'n cael ergyd am gôl o flaen ffans Forest. Yn syth, roeddach chi'n gweld bod rhywbeth o'i le. Roedd pobol yn dod dros y ffens ym mhen Lerpwl o'r cae. Ar y dechrau, roedd rhywun yn amlwg yn meddwl mai hwliganiaeth oedd wrth wraidd yr hyn oedd yn digwydd, ac mi ffoniais i Gaerdydd i ddeud, ‘Drychwch, mae ’na gefnogwyr ar y cae yn fan hyn . . .’ Wedyn ro’n i’n gorfod rhoi disgrifiadau o’r hyn oedd yn mynd ymlaen. Ond roeddach chi’n gweld ei bod hi’n mynd o ddrwg i waeth, ac roedd rhywun yn meddwl, ‘Argol fawr, mae ’na rywbeth mawr yn digwydd fan hyn’ – ac yn amlwg nid hwliganiaeth oedd o.

Roedd pob math o sibrydion yn dod i loc y wasg erbyn hyn – fod ’na rai wedi marw ac yn y blaen – ond doedd ’na ddim cadarnhad o hynny, wrth reswm. Ond dwi’n cofio hyd heddiw pa mor syfrdan oedd y plismyn ar y cae. Mi oedd o fel petai rhyw ddrama’n cael ei hactio o’ch blaenau chi. Y cefnogwyr ’ma’n ymbil am help gan y plismyn a phawb yn edrych yn gegrwth, ddim yn gwybod be i’w neud. Mi ddaeth ambiwlans ar y cae wedyn, ac roedd y cynhyrchydd yng Nghaerdydd yn clywed y seiren ac yn holi be oedd yn digwydd. Wel, doedd gen i ddim profiad newyddiadurol o gwbl cyn hynny, dim ond wedi bod yn gneud adroddiadau pêl-droed o’n i, yn disgrifio goliau’n mynd i mewn a ballu. Roedd hyn yn rhywbeth cwbl wahanol.

Ar ôl cael arweiniad gan y cynhyrchydd, Emyr Wyn Williams, yng Nghaerdydd, y cwbl fedrwn i ddeud oedd fod ’na adroddiadau bod rhai wedi marw, ond yn pwysleisio nad oedd cadarnhad o hynny. Roedd rhaid bod yn sensitif achos roedd o’n debygol iawn fod gan rai o wrandawyr Radio Cymru berthnasau yno ymhlith cefnogwyr Lerpwl. Ro’n i’n nabod rhai oedd wedi mynd yno fy hun. Gan ei fod o mor afreal doedd rhywun ddim yn sylweddoli pa mor ddifrifol oedd o, dwi’m yn meddwl.

Erbyn diwedd y pnawn mi oedd y lle wedi gwagio, ond mi oedd hi'n wyllt yn lle'r wasg a thu mewn i'r stadiwm. Mi oedd y bobol papurau newydd i gyd isio benthyg yr hen ffôn 'ma oedd gen i, achos doedd gynnyn nhw ddim byd fel'na ar y pryd.

Dwi'n cofio gweld Jack Charlton a Lawrie McMenemy – dau foi caled – yn crio ar ôl be oeddan nhw wedi'i weld. Hefyd dwi'n cofio rhyw blant bach yn dod yno yn methu ffeindio'u tad. Dwi'm yn gwybod be fu hanes y rheiny, ond mi fydda i'n meddwl amdanyn nhw weithia, ac yn gobeithio iddyn nhw gael diweddglo hapus i'r diwrnod.

Ddiwedd y pnawn roedd 'na gynhadledd i'r wasg yn swyddfa'r heddlu yn Sheffield. Wrth gwrs, roedd pawb wedi cyrraedd yno erbyn hynny – y newyddiadurwyr o'r papurau i gyd ac ati. Mi ddywedodd prif swyddog yr heddlu yn fanno nad oeddan nhw'n siŵr be oedd wedi digwydd ond fod cefnogwyr Lerpwl wedi gwthio i mewn i'r teras, ac mi ddywedodd faint oedd wedi cael eu lladd. Roedd o'n fyd gwahanol iawn i'r hyn ro'n i wedi arfer ag o, ond roedd y rhaglen newyddion ar S4C y noson honno isio rhywbeth yn fyw ar y ffôn o'r ddinas, ac mi wnes i hynny rywsut.

Mi es adra drwy'r Peak District, a'r adeg honno y gwnaeth yr holl beth fy nharo i. Mi fu raid i mi stopio'r car am sbel a sadio'n hun nes i mi ddod ataf fy hun. Do'n i ddim wedi arfer efo byd newyddiadura, ac eto ro'n i'n trio deud wrtha i'n hun, 'Dio'm byd i neud efo fi.' Roedd y bobol yma wedi colli'u bywydau ond do'n i ddim yn eu nabod nhw. Do'n i ddim wedi cael profedigaeth, felly pam dylswn i fod yn teimlo unrhyw beth? Ond mi oedd o'n effeithio arna i. Mi o'n i'n rhan ohono fo, ac mi o'n i'n reit emosiynol.

Mi es i i Anfield yr wythnos wedyn i weld y blodau ar y cae. Am resymau hunanol ac i neud i mi fy hun deimlo'n well roedd hynny, hwyrach, ond hefyd i dalu gwrogaeth i'r rheiny fu farw.

Mae'r diwrnod ei hun yn dal yn fyw yn y cof, ac mae'r emosiwn yn dal i ddod i'r wyneb ar adegau. Ond oni bai am Hillsborough, mae'n bosib y baswn i'n dal i fod yn athro rŵan.

Mi oedd o'n brofiad ofnadwy, ac yn fedydd tân go iawn i gyw newyddiadurwr.

Newid byd

Oedd, mi oedd trychineb Hillsborough yn sicr yn fedydd tân, ond mae'n rhaid mod wedi gneud rhywbeth yn iawn achos fe ddaeth galwad ffôn ar y dydd Llun canlynol gan neb llai na Gwilym Owen, Pennaeth Newyddion BBC Cymru yng Nghaerdydd bryd hynny, yn deud, 'Da iawn am ddydd Sadwrn', a'i fod o isio cyfarfod am sgwrs.

'Ew, be dach chi isio'i drafod felly?' medda finna'n llawn chwilfrydedd.

'Fasa'n well gen i gael sgwrs wyneb yn wyneb,' medda fo.

Iawn, dyma drefnu dyddiad ac amser pan oedd Gwilym yn digwydd bod i fyny ym Mangor. Roedd hynny'n golygu bod gen i bythefnos i aros. Doedd gen i ddim syniad be aflwydd oedd o isio, ond do'n i ddim yn mynd i ddadlau efo fo, o bawb, nag oeddwn?

Ond choeliwch chi byth, pan ddaeth yr amser tyngedfennol ro'n i'n hwyr! A finna wedi cael symans gan Gwilym Owen! Ro'n i mewn trwbwl. Ro'n i'n dysgu yn Ysgol Glan Clwyd ar y pryd, a doedd yr A55 ddim wedi'i hagor eto, felly i fynd o sir Ddinbych i Fangor roedd rhaid mynd trwy nifer o drefi a phentrefi. Wrth gwrs, a hithau'n nos Wener, roedd y traffig yn drybeilig ac mi fues i'n sownd yng Nghonwy am sbelan, cyn cyrraedd Penmaen-mawr a sylweddoli nad o'n i'n mynd i fod ym Mangor mewn pryd. Cyn dyddiau ffonau-symudol-gen-bawb, doedd dim amdani ond stopio i ffonio o flwch ffôn. Ro'n i'n reit betrusgar, coeliwch chi fi. Ond y cwbl ddudodd Gwilym oedd, 'Duwcs, peidiwch â phoeni dim, jest isio cynnig cytundeb i chi fel gohebydd llawrydd ar gyfer newyddion Radio Cymru a theledu yn y gogledd-ddwyrain oeddwn i!'

'O!'

Mi oedd hi'n dipyn o sioc, mae'n rhaid cyfaddef. Ro'n i'n mwynhau'r sylwebu ar gêmau pêl-droed ar bnawniau Sadwrn yn arw, ond do'n i ddim wedi bod yn bennaeth Hanes yn Ysgol Glan Clwyd am flwyddyn eto. Do'n i wirioneddol ddim yn gwybod be i'w neud, ac mi fues i'n trafod dipyn go lew gyda fy mhrifathro yng Nglan Clwyd, Glyn Jones, fuodd yn dda iawn efo fi.

Mi oedd y gair 'llawrydd' yn gneud i'r peth swnio'n fwy o fenter nag oedd hi mewn gwirionedd. Roedd 'na dipyn o ohebyddion llawrydd yn gweithio i'r BBC yr adeg honno, ac wedi bod wrthi ers blynyddoedd, felly roedd hi'n joban weddol saff oni bai eich bod yn gneud rhywbeth mawr o'i le.

Dwi'n cofio gofyn i Dad am gyngor, a be ddudodd o oedd mod i'n cael y gorau o'r ddau fyd fel roedd hi, ac mai sticio at hynny fydda orau. Ond wnes i ddim gwrando. A finna wastad wedi deud nad o'n i isio dysgu am weddill fy oes, ro'n i'n meddwl, 'Diawch, os nad a' i rŵan, da' i byth.' Felly mentro wnes i.

Er mod i'n mwynhau'r dysgu yn iawn, ac yn cydweithio'n braf efo Awen Roberts yn yr Adran Hanes, dwi ddim yn difaru am funud. Cofiwch chi, mae'n bosib y byddai'r penderfyniad wedi bod yn wahanol pe bawn i'n ei wynebu heddiw, achos mae 'na rywfaint mwy o sicrwydd yn y byd addysg bellach nag sy 'na ym myd y cyfryngau.

A dyna i chi hanes fy 'transfer' o fyd addysg i'r un newyddiadura!

Doedd 'na ddim hyfforddiant o fath yn y byd, dim ond gafael ynddi a dysgu wrth fynd ymlaen. Mi ddysgais lawer iawn yng nghwmni'r tri gohebydd oedd yn gweithio i'r BBC yn yr Wyddgrug – Roger Pinney (*Wales Today*), Alun Rhys a Merfyn Davies, a'r dynion camera Ian Friswell a John Reay. Roedd Gwilym Owen yng Nghaerdydd yn gwrando ar bob sill ac ar gael bob amser i gynnig help, a golygydd y gogledd, Garffild Lloyd Lewis, yn barod ei arweiniad a'i gymwynas o Fangor, yn ogystal â'r cynhyrchwyr yng Nghaerdydd a'r cyflwynydd, Dewi Llwyd, ddaeth yn gyfaill agos.

Achos Trevaline Evans oedd y stori fawr gynta i mi weithio arni. Roedd hi'n cadw siop *antiques* yn Llangollen ond fe ddiflannodd yn gwbl ddisymwth un diwrnod ym mis Mehefin 1990. Roedd ei char ger y siop a'i bag llaw yn dal ynddo fo, ac roedd yr heddlu'n amau ei bod wedi cael ei chipio a'i llofruddio. Wrth gwrs, mae'r peth yn dal yn ddirgelwch hyd heddiw.

Pan ddechreuais fel gohebydd mi ges gyngor da iawn gan rywun a ddywedodd mai pobol oedd yn gneud straeon, ac y byddwn yn iawn yng Nghlwyd am fod digon o boblogaeth yno. Roedd 'na hefyd ddiwydiannau mawr yno, yn ogystal â chefn gwlad eang, felly roedd 'na ddigon o amrywiaeth. Ac am mai fi oedd gohebydd y gogledd-ddwyrain ces sawl cyfle i ohebu ar straeon newyddion mawr dros y ffin, ac mae'r rheiny wedi chwarae rhan fawr yn fy mywyd i.

Chwefror 1993 oedd hi, ac ro'n i eisoes wedi clywed yr adroddiadau dychrynllyd ar y bwletinau newyddion am yr hogyn dyflwydd oed o Lerpwl – Patrick James Bulger – oedd wedi mynd ar goll. Yn raddol, daeth i'r amlwg mai wedi cael ei gipio ac yna'i lofruddio roedd y bachgen bach gan ddau hogyn deg oed, Robert Thompson a Jon Venables. Mi oedd hi'n stori erchyll, a does 'na ddim byd yn eich paratoi chi ar gyfer y math yna o ddigwyddiad.

Mae'r Cymry wedi cael dylanwad aruthrol ar dwf a hanes Lerpwl. Cymry oedd yr adeiladwyr a gododd filoedd o dai'r ddinas, ac mae'r enwau Cymraeg ar sawl stryd yn dyst i hyn – y 'Welsh streets', fel y gelwir nhw. Yn un o'r rheiny y ganed y Beatle Ringo Starr, ac er bod cyngor y ddinas wedi dymchwel nifer helaeth o'r hen dai erbyn hyn, maen nhw wedi ailgodi ei gartref o, 9 Stryd Madryn, mewn amgueddfa yn y ddinas. Na, nid ar chwarae bach y gelwid Lerpwl yn brifddinas gogledd Cymru, ac nid cellwair fyddai rhywun wrth ddeud hynny.

Felly, hyd yn oed yn 1993, doedd 'na ddim prinder Cymry Cymraeg yno i gael eu holi. Roedd hon hefyd yn stori berthnasol i ni'r Cymry oherwydd y cysylltiadau agos rhwng y ddinas a gogledd Cymru. Dyna un o'r rhesymau pam y ces i fy anfon yno. Rheswm arall oedd mai fi oedd y gohebydd agosa at Lerpwl. Roedd o ar fy mhatsh i, fel petai.

Y cefndir oedd bod James Bulger wedi cael ei gipio o ganolfan siopa New Strand yn ardal Bootle ar y 12fed o Chwefror. Digwyddodd mewn amrantiad. Roedd sylw ei fam yn rhywle arall am ychydig eiliadau yn unig wrth iddi dalu am nwyddau yn un o'r siopau, ond roedd hynny'n ddigon. Mae pawb yn cofio gweld y lluniau camerâu cylch cyfyng oedd yn dangos y bachgen bach yn cael ei arwain oddi yno gan ddau fachgen arall, a sut y daethpwyd o hyd i gorff James ger y rheilffordd ddau ddiwrnod yn ddiweddarach. Roedd o wedi dioddef anafiadau ofnadwy, ac wedi cael ei arteithio cyn iddo farw. Doedd oedran y ddau hogyn ddim yn glir o'r lluniau cylch cyfyng, ac felly roedd hi'n sioc enfawr i bawb – yn cynnwys yr heddlu – pan sylweddolwyd mai deg oed oeddan nhw.

Roeddan ni'n mynd i Lerpwl efo'n criw camera ein hunain, ac yn mynd i'r cynadleddau newyddion dyddiol gan Heddlu Glannau Mersi yn y bore. Mi oedd y papurau newydd a'r cwmnïau teledu i gyd yno, wrth gwrs. Be wnaeth fy nharo i fwya oedd pa mor dda roedd Heddlu Glannau Mersi am drio dod o hyd i Gymry Cymraeg inni (o blith yr heddlu) ar gyfer cyfweliadau. Roedd 'na Gymro Cymraeg yng ngofal y swyddfa heddlu agosaf at y digwyddiad, er enghraifft, ac mi fuon ni'n ei holi o sawl gwaith. Pan nad oedd o ar gael un tro, mi ddaru nhw ddod o hyd i blismon arall i ni. Weithiau mae hi'n ddigon anodd cael Cymro Cymraeg i siarad yma yng Nghymru, ond mi oeddan nhw'n andros o dda efo ni, chwarae teg. Mi oedd 'na gymaint o ofynion arnyn nhw ar y boreau hynny yn y cynadleddau i'r wasg – mi oedd pawb isio rhywbeth, yn ffonau neu'n wybodaeth – ac eto mi aethon nhw allan o'u ffordd i'n helpu ni.

Ymhlith y Cymry Cymraeg lleol y buom yn eu holi roedd pobol fel y Parchedig D. Ben Rees, John Lyons, y ddiweddar Ann Clitheroe, a'r diweddar Gareth James.

Roedd hi'n anodd ar brydiau, achos fel tad fy hun – roedd Lois, fy merch hyna, tua'r un oed â James Bulger – roedd hi'n naturiol fod rhywun yn meddwl am y peth o'r ochr honno. Pan mae gynnoch chi blant eich hun, rydach chi'n bownd o edrych ar y math yna o beth mewn ffordd hollol wahanol.

Yn raddol roedd erchylltra'r stori'n dod allan, a rhywun yn gweld cymaint o gasineb oedd 'na yn Lerpwl fod y fath beth wedi gallu digwydd. Roedd pobol yn prynu ffrwyn neu *reins* i'w plant rhag ofn iddyn nhw ddianc, ac ati. *Frenzy* ydy'r gair sy'n cyfleu'r peth orau, dwi'n meddwl. Mi oedd o fel panic yn mynd trwy'r boblogaeth.

Mi gawson ni'n galw ryw fore i adrodd ar stori fod 'na rai wedi'u harestio yn ystod y nos – roedd hyn cyn iddyn nhw ddod o hyd i'r ddau fachgen. Yna'r anghrediniaeth lwyr pan ddaliwyd y ddau wrth i bawb sylweddoli mai plant ysgol gynradd oeddan nhw.

Pan oedd Robert Thompson a Jon Venables yn ymddangos yn Llys Ynadon Sefton am y tro cynta roedd 'na fesurau diogelwch caeth iawn yno. Roedd 'na gannoedd o bobol wedi ymgynnull y tu allan ac mi fedrech deimlo'r tensiwn. Roedd y bobol leol yn hollol wallgo fod y rhain wedi gneud yr hyn roeddan nhw wedi'i neud, ac yn pledu faniau'r heddlu a bangio ar eu hochrau wrth iddyn nhw gyrraedd.

Doeddan ni ddim yn cael mynd i mewn i'r gwrandawiad cynta hwnnw – doedd 'na ddim llawer o le yn y llys i bawb o'r cyfryngau, felly roeddan ni'n gorfod cicio'n sodlau tu allan. Roedd y ddau'n cael eu hebrwng o'r llys mewn faniau ar wahân, ac mi oedd 'na deimlad fod yr heddlu'n gneud dipyn o sioe o'r peth, rywsut, achos mi oedd gynnoch chi foto-beics yn refio fel dwn i'm be yn barod i hebrwng y faniau. Wedyn, pan ddôi'r faniau, roedd gynnoch chi ddynion yn taflu eu hunain atyn nhw, a cherrig a brics yn hedfan. Roedd pobol mor emosiynol, roedd o'n reit frawychus, a deud y gwir.

Yn Llys y Goron Preston roedd yr achos ei hun, ac mi gychwynnodd ar y cynta o Dachwedd. Be dwi'n gofio i ddechrau oedd fod pawb yn cael ei archwilio'n fanwl wrth fynd i mewn i adeilad y llys, yn union fel tasach chi'n mynd ar awyren, i neud yn siŵr nad oeddech chi'n cario cyllell neu rywbeth. Roedd teimladau mor fflamychol, a phryder gwirioneddol y byddai rhywun yn ymosod ar y ddau hogyn 'ma. Yn wahanol i fel byddai hi rŵan, doedd 'na ddim mesurau diogelwch yn unlle bron bryd hynny, ond roeddan nhw'n dynn iawn yn Preston ar gyfer yr achos anferthol hwn, lle roedd y cyfryngau o bob rhan o'r byd yn bresennol.

Adeilad henffasiwn iawn oedd y llys, efo paneli derw a lluniau hen farnwyr ar y waliau. Mewn cyferbyniad llwyr, dyna lle roedd y ddau hogyn bach 'ma yn y doc heb syniad yn y byd be oedd yn digwydd. Roedd o'n amlwg nad oeddan nhw'n gwybod be aflwydd oedd yn mynd ymlaen; roeddan nhw'n giglan efo'i gilydd, ac mi oedd o fel petai'r holl broses yn digwydd o'r tu allan iddyn nhw, rywsut. Y bargyfreithwyr mewn dadleuon cyfreithiol cymhleth, a'r ddau yma â dim clem be oedd y syrcas o'u cwmpas. Ro'n i'n eistedd o fewn tafliad carreg iddyn nhw, yn meddwl yn sobr efo fi'n hun am yr hyn roedd y ddau yma wedi'i neud. Doeddan nhw fawr o bethau eu hunain. A phan o'n i'n adrodd ar y digwyddiad roedd o'n cael effaith arna i – ro'n i'n methu peidio meddwl am fy mhlant fy hun. Ond ro'n i'n gorfod gneud fy ngwaith ac felly'n gorfod edrych ar y peth mor wrthrychol ag y medrwn. Gneud fy ngwaith a'i heglu hi o 'na, fel petai.

Po fwya o bethau fel hyn mae rhywun yn eu gneud, mwya'n y byd rydach chi'n caledu iddyn nhw. Mi oedd Hillsborough, ella, yn wahanol, achos doedd dim paratoad o gwbl ar gyfer hwnnw. Ond efo hwn roedd o'n rhan o ngwaith i, ac ro'n i'n trio edrych arno felly, er mor anodd oedd hynny.

Ar y 24ain o Dachwedd 1993 mi gafwyd Venables a Thompson yn euog o lofruddio James Bulger, y rhai ieuenga yn hanes cyfreithiol Cymru a Lloegr i gael eu dyfarnu'n euog o lofruddiaeth. Bu cryn drafod ar y pryd ynglŷn â rhoi dau blentyn i sefyll eu prawf mewn llys i oedolion, ac a oedden nhw fel plant yn gyfrifol yn yr ystyr gyfreithiol am yr hyn a wnaethon nhw.

Mi gafodd y ddau eu rhyddhau ar drwydded gydol oes yn 2001, ond mae Venables bellach yn ôl yn y carchar am gyfnod amhenodol ('for the foreseeable future' ydi'r term) ar ôl torri amodau ei drwydded fwy nag unwaith, ac er ei ddiogelwch ei hun.

Dunblane

Fel llawer ohonoch chi, mae'n siŵr, doeddwn inna rioed wedi clywed am Dunblane tan fore'r 13eg o Fawrth 1996. Do'n i rioed wedi clywed am Thomas Hamilton chwaith, ond bellach mae'r ddau enw'n adnabyddus trwy'r byd oherwydd y digwyddiad trasig lle cafodd un ar bymtheg o blant ac un oedolyn eu saethu'n farw yn yr ysgol gynradd leol gan y boi Thomas Hamilton 'ma. Mi laddodd ei hun ar ôl cyflawni'i drosedd, felly chawn ni byth wybod yn iawn pam gwnaeth o'r fath beth.

Y bore hwnnw ro'n i yn Rhiwabon yng nghartre'r gwleidydd Tom Ellis, yn ei gyf-weld ar gyfer eitem ynglŷn â'r Blaid Lafur i Vaughan Roderick, Golygydd Materion Gwleidyddol BBC Cymru. Yn ôl â fi i swyddfa'r BBC yn yr Wyddgrug wedyn, a ffonio Caerdydd i holi be oeddan nhw isio i mi neud weddill y diwrnod hwnnw. Mi oedd hi'n digwydd bod yn dawel ar y pryd a dim llawer yn digwydd. Ond wrth gael panad ac edrych ar y cyfrifiadur mi welais fod 'na stori'n torri yn yr Alban fod 'na blant wedi cael eu saethu mewn ysgol gynradd. Mi oedd y stori'n datblygu o hyd, ac un adroddiad ar ôl y llall yn dod i mewn, ac yna mi ges i alwad o Gaerdydd yn gofyn i mi fynd i fyny yno.

'O, ia, iawn,' meddwn i, cyn ychwanegu: 'Sgen i amsar i fynd adra i nôl 'yn stwff molchi a phacio bag?'

'Nagoes,' meddai'r golygydd newyddion, 'mae'n rhaid iti fynd rŵan.'

Ac felly bu. O fewn dim ro'n i ar yr M6 ar fy ffordd i Dunblane, a dim clem ble roedd y lle i ddechrau, tan i mi edrych mewn atlas a gweld ei fod o ger Stirling. Roedd y dyn camera, David Sutcliffe, yn dod i fyny ar ei ben ei hun o Fangor.

Roeddwn i'n dilyn y stori ar *Radio 5 Live* yn y car yn ystod y bore, ac roedd hi'n mynd yn fwy a mwy erchyll wrth y filltir, bron. Erbyn i mi gyrraedd Caerliwelydd ro'n i'n gwybod yn union be oedd wedi digwydd.

Mi ffoniodd criw'r *Post Prynhawn* o Fangor i ddeud eu bod nhw'n chwilio am Gymry Cymraeg yn yr ardal i mi eu holi ar gyfer *Post Prynhawn* a *Newyddion* S4C. Troed i lawr fuodd hi wedyn nes cyrraedd Glasgow, Stirling ac yna Dunblane – tre fechan, a rhywbeth yn debyg i Lanelwy ynddi efo'i chadeirlan a'i heglwys. Tre reit lewyrchus yr olwg.

Mae'n siŵr mod i wedi cyrraedd yno tua 2.30 neu 3.00 y pnawn, a'r peth cynta drawodd fi oedd fod bywyd yn dal i fynd yn ei flaen. Mi welwn weithwyr ar ochr y ffordd yn tyllu, a phobol eraill yn mynd o gwmpas eu gwaith. Roedd o'n reit od gweld bywyd yn mynd yn ei flaen er yr holl erchyllterau oedd ddim ond newydd ddigwydd yno. Eto, roedd 'na ryw dawelwch o gwmpas y lle ar waetha'r bobol oedd yn drilio'r lôn, ac o edrych yn fwy manwl roedd hi'n amlwg fod pobol yn cerdded o gwmpas y lle mewn sioc.

Mi drefnwyd cynhadledd i'r wasg mewn neuadd

eglwys, ac wedyn mi ffoniais i'r diweddar Glyn Thomas, cynhyrchydd y *Post Prynhawn*, a dallt bod ymchwilwyr wedi dod o hyd i Gymry Cymraeg oedd yn barod i siarad efo fi. Ble bynnag yr ewch chi yn y byd, mi fedrwch fod yn weddol siŵr fod 'na Gymry Cymraeg yno yn rwla. Mae o'n beth anhygoel, ac yn rhyfeddol sut mae ymchwilwyr da yn gallu cael gafael arnyn nhw'n ddi-ffael, ac mor sydyn.

Mi oedd Prifysgol Stirling yn ymyl ac roedd 'na Gymry Cymraeg yn fanno. Roeddan nhw wedi cael gafael ar Herbert a Beti Wilson a'r Dr Glyn Richards (oedd yn dysgu Diwinyddiaeth yno), a'r tri yn barod i siarad. Roedd hi'n dipyn o ras ond mi wnaethon ni eu holi nhw yn eu tai ar gyfer y rhaglenni, ac mi oeddan nhw'n wych, chwarae teg iddyn nhw. Mi ges i groeso cynnes gan y tri, a'u hymateb i'r drychineb.

Roedd Dr Glyn Richards yn nabod teulu Mhairi Isabel MacBeath, un o'r plant ysgol gafodd ei lladd. Roedd o'n gyd-ddarlithydd efo'i thad hi, ond roedd hwnnw wedi marw ychydig ynghynt hefyd. Felly roedd ei wraig Isabel wedi colli'i gŵr a'i merch o fewn ychydig iawn i'w gilydd, a chan fod Glyn Richards yn eu nabod nhw'n iawn, roedd o'n agos at y digwyddiad.

Be sy'n dda efo'r BBC, wrth gwrs, ydi fod yr holl adnoddau i gyd ar gael ichi, felly roeddan ni'n gallu chwarae'r tapiau i lawr i Gaerdydd o'r tryc lloeren. Beti George oedd yn cyflwyno'r noson honno, ac mi fu'n fy holi o flaen camera ynglŷn â'r hyn oedd wedi digwydd yn ystod y dydd. Mi wnes i grybwyll y byddai 'na gydymdeimlad yng Nghymru oherwydd trychineb Aberfan. Nid bod y ddau beth yn union yr un fath ond roedd eu canlyniadau'n debyg, sef bod 'na nifer o blant wedi colli'u bywydau. Roedd 'na lawer o bobol yn mynd i fod yn cymharu'r teimladau. Dwi'n cofio deud y noson honno ein bod ni'n trin geiriau bob dydd yn ein gwaith fel newyddiadurwyr, ond nad oedd rhywun yn gallu meddwl am eiriau i ddisgrifio'r hyn roedd Thomas Hamilton wedi'i neud y diwrnod hwnnw.

Doedd gen i ddim lle i gwyno, mewn gwirionedd, ond mae blinder yn gneud i chi feddwl am bethau ymarferol, ac ar ôl gneud y cyfweliadau roedd hi tua wyth o'r gloch y nos a ninna ddim yn gwybod eto ble roeddan ni'n aros. Roedd pob newyddiadurwr dan haul wedi bachu'r llefydd agosa, felly yng nghanol y wlad rhwng Dunblane a Stirling yr arhoson ni. Welish i ddim lle oerach yn fy nydd erioed, na lle mor damp! A doedd gen i ddim dillad i newid iddyn nhw, na brwsh dannedd hyd yn oed! Am fy mod i'n gwisgo lensys roedd angen stwff i'w glanhau nhw. Dydach chi ddim i fod i'w rhoi nhw mewn dŵr ond doedd gen i ddim byd arall. Mi fydda raid i mi neud cyfweliadau'r bore wedyn yn yr un dillad, a bob dim. Ond chwarae teg iddo fo, tra o'n i'n brysur efo'r cyfweliadau mi aeth David Sutcliffe, y dyn camera, i chwilio am stwff glanhau lensys i mi, neu faswn i'n gweld dim byd!

Mi wnaethon ni chwaneg o gyfweliadau hefo Cymry Cymraeg lleol drannoeth (ar y dydd Iau), ac wedyn ar y dydd Gwener, a mynd adre gyda'r nos y noson honno. Pan ydach chi'n mynd i ohebu ar ryw amgylchiad fel'na does 'na neb yn cymryd fawr o sylw o be dach chi'n ei neud yno ar y dechrau, ond erbyn y dydd Gwener hwnnw roeddach chi'n teimlo pobol yn gwgu arnoch chi, cystal â deud: 'Be dach chi'n da yma?' Ac rydach chi'n teimlo wedyn eich bod chi'n ymyrryd yn eu bywydau nhw ac yn eu galar.

Y genadwri ro'n i'n ei chael yn ystod y daith am adra oedd y byddai disgwyl i ni fynd yn ôl yno'r wythnos wedyn ar gyfer yr angladdau. Oherwydd yr holl bobol ro'n i wedi'u gweld yn gwgu arnon ni, ro'n i'n teimlo na ddylsen ni fod yn agos i'r lle yr adeg honno, ond roedd y penaethiaid yng Nghaerdydd yn daer y byddai'n rhaid inni fynd. Mi ddywedais sut ro'n i'n teimlo – wedi'r cwbl, fi oedd yr un oedd wedi bod yno.

Ond duwcs, wrth lwc, erbyn y dydd Sadwrn roedd y BBC yn ganolog yn Llundain wedi deud nad oedd gohebwyr i fynd yn ôl yno. Ro'n i'n sicr mai dyna oedd y penderfyniad cywir. Hyn a hyn o dorri ar draws bywydau pobol fedrwch chi neud mewn sefyllfa o'r fath. Mi wnaed yr un penderfyniad yn sgil y ddamwain ym mhwll glo'r Gleision yn 2011 – mi ddywedodd y BBC yng Nghaerdydd: 'Ar ôl hyn a hyn mi ydan ni'n tynnu allan, a gadael i'r bobl alaru'n iawn' – ac mae angen gneud hynny.

Mi es i i fyny i Dunblane flwyddyn yn ddiweddarach i neud rhaglen arbennig i *Taro Naw*, gyda Golygydd yr Adran Materion Cyfoes, Geraint Lewis Jones. Rhaglen ar ddeddfau llymach i reoli gynnau oedd hi. Erbyn hynny roedd Glyn Richards wedi trefnu'n bod ni'n siarad efo Isabel MacBeath, mam Mhairi MacBeath.

Roedd hwnnw'n dipyn o brofiad. Mi aethon ni i'w gweld hi'r noson cynt i ragbaratoi ar gyfer y cyfweliad drannoeth. Ar ôl siarad efo hi ro'n i'n gweld mor wan o'n i, yn poeni be o'n i'n mynd i ddeud wrthi ac yn y blaen, tra oedd hi mor gryf ac yn siarad yn dda. Hi oedd yn deud wrthon ni i beidio poeni! Roedd hi isio gwybod be oedd y cwestiynau fydden ni'n eu gofyn y diwrnod wedyn, ac mi eglurais pa feysydd fyddai'r rheiny – holi am ddiwrnod y digwyddiad, a gwahanol gwestiynau ynglŷn â'r ddeddf gynnau. Ro'n i'n ei gweld hi'n edrych yn amheus arna i, fel tasa hi ddim yn rhy siŵr ohona i. Ceisiais ei sicrhau y byddwn yn sticio at y meysydd ro'n i wedi cyfeirio atyn nhw, ond na fedrwn roi cwestiynau penodol iddi ar y pryd gan y byddai pethau'n siŵr o godi yn ystod y sgwrs.

Dyma fentro gofyn pam roedd hi mor betrusgar a dyma hi'n deud bod 'na ohebydd o raglen faterion cyfoes nid anenwog wedi bod yno, ac wedi deud be fyddai hi'n ofyn iddi. Ond eto, y cwestiwn cynta ofynnodd hi i Mrs MacBeath oedd: 'How much do you miss your daughter?' – cwestiwn cynta i drio cael dagrau, ac a oedd yn gneud dim ond rhoi enw drwg i ni fel newyddiadurwyr. Mae'n rhaid trin y bobol rydach chi'n eu cyf-weld fel basach chi'n dymuno cael eich trin eich hun. Gneud y gwaith orau gallwch chi o ran bod yn sensitif i deimladau pobol, ond eto heb fod yn or-sensitif na gor-emosiynol achos y stori mae pobol isio'i chlywed, wedi'r cwbl.

Irfon a fi'n gorffen y Great North Run *law yn llaw yn 1998*

Tim pêl-droed Llannefydd yn 1999. Fi ar y dde yn y blaen

LLUN: ARWYN HERALD

Efo Martyn Geraint ar gae Dyffryn Nantlle yn ystod wythnos o ddigwyddiadau yn y fro

Fi a'r dyn camera, Dave Longstaff, yn ffilmio rhaglen Taro Naw *yn Japan yn 1998*

Ym Mhacistan ar ôl cyflafan 9/11. Blaen: Ian, dyn sain o Awstralia, a Justin, dyn camera o Awstralia.
Cefn: Guto Orwig, Taj (y gyrrwr) a finna o flaen hen gar Suzuki Taj!

Pen-blwydd Ar y Marc *yn ddeg oed, Ionawr 2002. O'r chwith: Bryn Tomos, Dylan Llewelyn, Marian Ifans, Gary Pritchard, Geraint Ellis, fi a Marian Wyn Jones*

Holi'r Arglwydd Dafydd Elis-Thomas, Llywydd y Cynulliad, ar ddiwrnod agoriad swyddogol y Senedd, Mawrth y cyntaf 2006

Fi a Garffild Lloyd Lewis yn y Senedd wrth i Taro'r Post *gael ei ddarlledu'n fyw oddi yno ar achlysur yr agoriad swyddogol*

Holi'r cawr Orig Willliams ar gyfer rhaglen i Radio Cymru. O'r chwith: Orig, fi, Gruff a Rhys (fy meibion) a'r reslar Barri Griffiths

Ar faes y Steddfod yn 2008. Gneud rhaglen ar datŵs oeddan ni!

Mam a fi ar ôl imi ennill gwobr Personoliaeth Radio'r Flwyddyn yn yr Ŵyl Cyfryngau Celtaidd yn 2009

Yr AC a'r cymeriad Brynle Williams – ffrind da i Taro'r Post *– yn rhoi ei farn yn groyw ar faes y Sioe Frenhinol*

Ar gopa'r Wyddfa ar ddiwrnod agor Hafod Eryri ym Mehefin 2009. O'r chwith: Richard Durrell, Sion Tecwyn, Paul Williams, Tomos Morgan, Emyr Evans, fi a Tudur Owen

Criw cynhyrchu Taro'r Post *a* Post Prynhawn *yn 2012. Tu cefn i mi, o'r chwith: Mia Jones, Tomos Morgan, Delyth Davies, Bethan Roberts, Shian Jones, Ffion Jones a Gethin Morris Williams*

Straeon mawr eraill

Mae galwad ffôn yn hwyr iawn yn y nos neu ben bore yn gallu dychryn rhywun weithiau, 'yn tydi? 'Dan ni'n dueddol o feddwl y gwaetha bob tro. Ond pan ganodd y ffôn yn gynnar iawn ar ddydd ola Awst 1997 – bora dydd Sul – do'n i ddim yn poeni, achos ro'n i'n grediniol mai fy nghymydog, Dewi Roberts, oedd yno.

Roedd ganddo fo reswm da dros fy ffonio mor blygeiniol y diwrnod hwnnw. Roedd Dewi a finna wedi trefnu gêm gynnar o golff fel bod gynnon ni weddill y diwrnod i neud rhywbeth arall, a'r bwriad oedd cychwyn tua saith o'r gloch y bore neu rwbath gwirion felly. Roedd hi wedi bod yn tresio bwrw'n ofnadwy, a phan ganodd y ffôn roedd hi'n naturiol i mi feddwl yn syth mai Dewi oedd yno yn ffonio i ganslo'r gêm. Ond pwy oedd 'na ond Tim Hartley, Golygydd Newyddion y BBC yng Nghaerdydd ar y pryd. A dyma fo'n deud, 'Dwi isio i ti fynd i Baris.' Wrth gwrs, yr adeg yna o'r bore, do'n i ddim wedi clywed y newyddion.

'O? Pam?' medda fi.

'Mae Diana, Tywysoges Cymru, wedi cael ei lladd mewn damwain ffordd.'

Ro'n i'n hollol gegrwth. Mi ddywedodd Tim y bysan nhw'n trefnu tocyn awyren a gwesty o Gaerdydd, a hynny fu. Roedd 'na awyren yn mynd o Birmingham ganol pnawn, felly o leia mi ges ddigon o amser i bacio dillad a ballu'r tro yma. Trefnwyd hefyd i'r dyn camera, Guto Orwig, fy nghyfarfod yn y maes awyr.

Roedd hon yn stori anferth, wrth gwrs. Mi fues i'n gwylio'r teledu trwy'r bore cyn cychwyn er mwyn trio cael pictiwr cliriach o'r hyn oedd wedi digwydd. Ar ôl cyrraedd Paris doedd 'na ddim amser i fynd i'r gwesty, achos roedd rhaglen *Newyddion* nos Sul a'r bwletinau newyddion ar y radio isio stwff. I'r Paris Bureau yng nghanol y ddinas yr aethon ni gynta – fanno roedd swyddfa'r BBC. Y broblem oedd nad oedd posib cael cyfrifiadur rhydd, achos swyddfa fechan ydi hi, ac wrth bod hon yn stori mor fawr roedd hi'n anodd cael desg i weithio arni hi hyd yn oed. Ta waeth, mae'n rhaid gneud y gorau o bethau weithiau.

Mae un neu ddau o ohebwyr y rhwydwaith yn meddwl ein bod ni'n eitha cyntefig yng Nghymru, a dydyn nhw'n cymryd fawr o sylw ohonan ni. Roedd raid i mi grafu er mwyn cael mymryn o le ar ddesg yno. Ond dyna fo, fel'na maen nhw. Dydyn nhw ddim yn gneud gwaith dim gwell na ni yn y diwedd. Yr un ydi'r stori, dim ond yr iaith sy'n wahanol, ac os rhywbeth mae hi'n fwy anodd yn Gymraeg oherwydd does gynnoch chi ddim cymaint â hynny o bobol i siarad efo nhw.

Unwaith eto, holi Cymry'r ddinas wnaethon ni'r noson honno. Mi ddaeth Ceri Brugeilles i siarad efo ni – mae hi fel llais Cymru ym Mharis am ei bod yn byw yno ers blynyddoedd, ac yn gwybod popeth sydd i'w wybod am be sy'n mynd ymlaen yno. Mi fuon ni hefyd yn holi'r ddiweddar Nest Pierry, oedd hefyd wedi bod yn byw yn y ddinas am gyfnod go dda.

Fel ro'n i'n deud, doedd neb isio nabod Dylan Jones o Gapel Garmon yn swyddfa'r BBC y noson honno. Ond ro'n i'n hynod boblogaidd yn sydyn iawn pan wnaethon nhw sylweddoli bod gan Trevor Rees Jones, gwarchodwr Diana, gysylltiadau efo Cymru, ac mai'r BBC yng Nghaerdydd oedd yn gwneud y galwadau ynglŷn â hwnnw – yr ymholiadau a'r ymchwil. Mi oedd hi'n 'Dillon' hyn a 'Dillon' llall wedyn! Roedd yr enwog Kate Adie ar y sîn erbyn hyn hefyd, a honno'n holi'n aml: 'Dillon, have you heard anything from Cardiff?' Ew, mi o'n i'n bwysig, ac yn werth rwbath iddyn nhw o'r diwadd!

Roedd Guto a fi'n gneud ein ffilmio ein hunain, ac mi aethon ni i lawr at geg y twnnel lle digwyddodd y ddamwain. Mi wnes i ddarn i gamera yn fanno, ac erbyn hynny mi oedd 'na rywun wedi rhoi graffiti ar y wal yno'n deud: 'Paparazzi Murderers'. Y pnawn ar ôl y ddamwain oedd hyn. Mi aethon ni'n ôl i'r swyddfa wedyn, a dyna lle roedd y gohebwyr rhwydwaith 'ma'n edrych ar ITV i weld be oedd gan 'yr ochr arall', fel petai. Mi oedd 'na dipyn o gynnwrf pan sylweddolwyd bod y rheiny'n dangos shot o'r graffiti. Mi ges inna gyfle i ddeud, 'Oh, we've got it here on tape, too . . .' Yn sydyn reit, dyma rywun yn cipio'r tâp o'm llaw i! Wel, mi oeddan ni i fod i rannu pethau â'n gilydd, p'run bynnag, ond mor wahanol oedd eu hagwedd a nhwytha'n meddwl ein bod ni'n da i rwbath!

Mi oedd rhai o'r *paparazzi* yn gorfod rhoi tystiolaeth o flaen llys, fwy neu lai yn syth bìn, a wna i byth anghofio'r olygfa o reseidiau o faniau cwmnïau teledu a dysglau lloeren arnyn nhw am a welach chi i lawr y strydoedd wrth y llysoedd. Mi oedd 'na filoedd ohonyn nhw. Roedd Dunblane yn stori anferth ond roedd hon ar raddfa lawer iawn uwch – yn stori fyd-eang yng ngwir ystyr y gair, a'r stori fwya i mi weithio arni, wrth reswm. Mi oedd 'na elfen Gymreig iddi hi hefyd yn yr ystyr ei bod hi'n Dywysoges Cymru, a'r cysylltiad efo Trevor Rees Jones.

Dwi'n meddwl i mi fod ym Mharis am ryw dridiau cyn dod adra'n ddigon blinedig. Ond roedd o'n brofiad anhygoel i weithio ar stori mor fawr, ac roedd hi'n dal yn stori fawr ar ôl i mi ddod oddi yno, wrth gwrs, rhwng yr angladd a'r ffordd roedd pobol wedi mynd ati i gofio am Diana a phob dim. Ond ches i ddim cyfle i weithio ar y stori wedyn; roedd 'na ohebwyr eraill yn gweithio arni erbyn hynny, er mod i'n teimlo ar y pryd y baswn i wedi hoffi cario mlaen i'r diwedd.

Ym Mharis, ro'n i wedi gweld unwaith eto ei bod hi'n bosib cael gafael ar Gymry Cymraeg i siarad waeth lle rydach chi. Dwi'n cofio un esiampl dda o hyn pan oeddan nhw'n adeiladu llain lanio a therminal newydd ym maes awyr Manceinion. Roedd 'na brotestio mawr am eu bod nhw'n torri coed ac yn difetha cynefin bywyd gwyllt a hyn a'r llall. Ro'n i wedi mynd i fanno i neud eitem, achos roedd y protestwyr wedi cloddio dan ddaear ac wedi dringo coed a chlymu eu hunain iddyn nhw fel na fedrai'r teirw dur gario mlaen efo'u gwaith.

Mi oeddan ni wedi clywed sôn bod 'na hogan oedd yn siarad Cymraeg yn eu plith. Do'n i ddim yn gallu mynd yn agos at y coed, felly dyma fi'n gweiddi ei henw – 'Bethan!' – dros y lle, a gofyn oedd hi yno. Daeth yr ateb yn ôl yn syth mewn Cymraeg glân gloyw: 'Ydw! Dwi yma!' Felly mi wnes i gyfweliad â hi, yn dal y meicroffon i'w chyfeiriad hynny fedrwn i, a gweiddi cwestiynau a hithau'n gweiddi'r atebion, a'r gohebwyr eraill yn holi: 'What did she say, what did she say?' Mi oedd y peth yn reit ddoniol i mi – fod posib dod o hyd i Gymry Cymraeg mewn cae yng nghanol nunlle, ac yn fwy na hynny, i fyny coeden mewn cae yng nghanol nunlle. Mi drawodd fi hefyd ein bod ni'r gohebwyr i gyd wedi gwisgo 'run fath, fwy neu lai; y plismyn i gyd yn edrych 'run fath, ac wedyn y protestwyr 'ma i gyd yn edrych 'run fath! Fel tasa pawb yn ei gategori ei hun, rywsut.

Mi fydda i'n diolch am eiliadau fel yna i ysgafnhau'r gwaith o dro i dro. Bydd fy nghyd-weithiwr Barry Michael Jones yn defnyddio'r stori yna pan fydd o'n cynnal cyrsiau yng Nghaerdydd, ac yn deud, 'Os fedar Dylan Jones ddod o hyd i Gymraes ar ben coeden ym Manceinion, does 'na ddim rheswm pam na fedrwch chitha ffeindio un yn unrhyw le.'

Nid Paris oedd y tro cynta i mi ddod ar draws Kate Adie, achos mi oedd ein llwybrau ni wedi croesi o'r blaen, mewn ffordd. Yng Ngogledd Iwerddon y flwyddyn cynt roedd hynny. Yr adeg honno ro'n i yn Portadown i ohebu ar y protestiadau ynglŷn â gorymdaith gan yr Orange Order yn y Garvaghy Road, Drumcree.

Y cefndir oedd fod yr Orange Order yn mynnu gorymdeithio ar hyd eu llwybr traddodiadol trwy Ffordd Garvaghy i Eglwys Drumcree ac yn ôl. Maen nhw wedi bod yn gneud y daith er 1807, ond bryd hynny doedd 'na ddim cymaint o bobol yn byw yno. Rŵan mae'r daith yn mynd trwy ardaloedd pabyddol poblog, ac maen nhw'n gweld yr orymdaith drwy'r Garvaghy Road yn sarhad, a bron fel bod y Protestaniaid yn ceisio dangos eu goruchafiaeth dros y Catholigion. Mae'r Catholigion isio i'r Orange Order newid llwybr y daith, ac mae'r rheiny'n gwrthod. Mae hyn wedi bod yn mynd ymlaen ers blynyddoedd ond ambell flwyddyn bydd pethau'n berwi drosodd rhwng y ddwy ochr, a dyna oedd wedi digwydd yn 1996.

Ar ôl cyrraedd Portadown dyma fi'n dechrau meddwl, 'Argian, ydi hi'n saff i mi fod yn fan hyn, dwch?' Roedd y dyn camera a'r dyn sain oedd yn gweithio efo fi yn gweithio i'r BBC yng Ngogledd Iwerddon, ac roeddan nhw wrth eu boddau fod 'na helyntion yn ailddechrau, achos roeddan nhw wedi laru a diflasu'n llwyr ers i'r cadoediad fod mewn grym yno. Cyn hynny, roeddan nhw wedi hen arfer ffilmio a recordio pob math o sefyllfaoedd peryglus a gwrthdaro gwaedlyd rhwng y gwahanol garfanau.

Beth bynnag, roeddan ni'n mynd yn y car *estate* 'ma i'r Garvaghy Road. Fi yn y cefn, wrth gwrs! Dyma swyddog o'r fyddin yn un o'r *checkpoints* yn deud wrthon ni: 'Iawn, mi gewch chi ffilmio yno, ond os oes 'na rywbeth yn digwydd i chi, eich bai chi fydd o.' Wnaeth hynna ddim i mi deimlo'n well, a dyma fi'n deud wrth y ddau arall: 'Ylwch, o'm rhan i, does dim *raid* i ni fynd yno . . .' Ond rhoi ei droed i lawr wnaeth y gyrrwr.

Pan gyrhaeddon ni roedd yr orymdaith newydd fod trwodd, ac roedd 'na geir ar dân a phobol yn taflu bomiau petrol. Roedd hi'n amlwg fod yr adrenalin yn llifo unwaith eto i'r dyn camera a'r boi sain oedd efo fi. Roeddan nhw wrth eu boddau, tra o'n i'n cael cathod bach. 'You stay in the car,' meddan nhw, ac i ffwrdd â nhw a ngadael i yno.

Roedd y car wedi'i barcio ar ochr y ffordd, a'r lôn yn hollol wag heblaw amdanon ni. Yn sydyn, clywn sŵn cerbydau trymion, a be welwn i'n dod i lawr y lôn ond fflyd o *armoured cars* a'n car ni yn sefyll yn eu ffordd nhw! 'Be goblyn dwi'n mynd i neud rŵan?' medda fi wrthaf fy hun. Mi oedd y goriad yn dal yn yr *ignition*, felly dyma fi'n penderfynu'n sydyn iawn symud y car i lawr i'r *cul-de-sac* 'ma. Ond yn syth bìn ro'n i'n ymwybodol mod i wedi gneud andros o gamgymeriad. Mi fedrwn fod yn mynd o'r badell ffrio i'r tân – yn llythrennol, bron.

Mi oedd 'na bobol wedi dod allan o'u tai oherwydd y cythrwfl, a dyma fi'n meddwl: 'O na! Lle dwi wedi mynd rŵan, ta? Be mae'r rhain yn mynd i feddwl ohona i, a pa ochr i'r ffin wleidyddol maen nhw, tybed?' Doeddwn i ddim wedi bod ar unrhyw gwrs asesu risg, *hostile environment* nac iechyd a diogelwch yr adeg honno, ac mi o'n i'n hanner disgwyl iddyn nhw ymosod arna i.

Dyma un yn dod tuag ata i a golwg reit fygythiol arno fo, ond y cwbl wnaeth o oedd holi o ble ro'n i'n dod! Dyma finnau'n deud mai o Gymru roeddwn i, gan obeithio y byddai hynny'n helpu.

'Oh, we were in Prestatyn only last week with the Scouts,' medda fo, yn siarad yn hollol normal fel tasa dim byd o'i le. Roeddan nhw'r bobol glenia'n fyw! Dwi'n cofio hefyd sylwi ar boster yn ffenest llofft un o'r tai yn deud: 'It must be war – Kate Adie's here.'

Yn ddiweddarach, a'r orymdaith erbyn hynny ar ei ffordd yn ôl trwy'r Garvaghy Road, mi o'n i'n gneud darn i gamera yn Gymraeg. A dyma'r plismyn 'ma ata i a deud wrtha i am roi'r gorau iddi, rhag ofn i'r gorymdeithwyr feddwl mai siarad Gwyddeleg o'n i. Ond dal ati wnes i!

I ddangos pa mor anwybodus o'n i ar y pryd am y trafferthion yng Ngogledd Iwerddon, mi o'n i'n holi pobol ar y stryd yn Belfast ar ôl yr orymdaith, ac yn gofyn i'r bois 'ma be oeddan nhw'n feddwl o'r hyn oedd wedi digwydd yn Drumcree y diwrnod hwnnw. Mi o'n i'n gweld eu bod nhw'n sbio'n flin arna i, ac yn dal y ffyn *hurling* 'ma'n fygythiol. Mi oeddan nhw'n flin mod i hyd yn oed yn gofyn y fath beth iddyn nhw. Wrth gwrs, Catholigion oeddan nhw yn chwarae gêm Wyddelig, a doeddan nhw ddim am neud unrhyw sylw am y Protestaniaid.

Doedd hi ddim yn sefyllfa braf, ond nid yn fanno y bues i fwyaf ofnus wrth neud fy ngwaith, chwaith. Mae honno'n stori arall, a phennod arall.

9/11 a Phacistan

Medi'r 11eg, 2001

Ydi, mae'r dyddiad hwnnw'n mynd i aros yn y cof am byth i nifer fawr ohonon ni. Fel llofruddiaeth John F. Kennedy bron i ddeugain mlynedd ynghynt, mae 'na laweroedd yn cofio'n union ble roeddan nhw'r diwrnod hwnnw oherwydd yr hyn a ddigwyddodd.

Bore digon tawel o ran newyddion oedd y dydd Mawrth hwnnw, cyn i bethau newid yn y modd mwya dramatig. Yn Llanrug ro'n i, yn paratoi i neud eitem ar yr economi yng nghefn gwlad, ac wrthi'n paratoi darn i gamera ger un o siopau'r pentre. Fel ro'n i'n gosod fy meicroffon yn barod, ffoniodd Irfon fy mrawd a deud:

'Wyt ti wedi clywed be sy wedi digwydd yn Efrog Newydd?'

Er bod Irfon wedi bod yn gweithio i'r BBC cyn hynny (ac yn gweithio i'r gorfforaeth rŵan hefyd), ar y pryd efo cwmni teledu Dime Goch roedd o'n gweithio. Roedd o yn swyddfa Dime Goch ac yn edrych ar luniau teledu o'r digwyddiadau syfrdanol yn Efrog Newydd, ac yn disgrifio i mi be oedd yn digwydd wrth i dyrau Canolfan Fasnach y Byd gael eu taro gan ddwy awyren.

Fel pawb arall ro'n i wedi fy syfrdanu. Roedd y peth

yn anghredadwy, ac unwaith y clywais i hynny ro'n i'n gwybod nad oedd 'na ddim pwynt o gwbl i mi neud y darn i gamera yn Llanrug, gan na fyddai fy stori wych am dreialon yr economi wledig yn gweld golau dydd y diwrnod hwnnw nac unrhyw ddiwrnod arall chwaith, mae'n debyg.

Yn ôl i'r swyddfa ym Mangor yr es i a gweld yr holl beth yn datblygu. Rhian Gibson oedd y Golygydd Newyddion ar y pryd, ac mi ges rybudd i fod yn barod i fynd i Efrog Newydd neu i'r Dwyrain Canol neu i Bacistan, yn dibynnu sut byddai pethau'n datblygu. Wel, yn amlwg doedd 'na ddim awyrennau'n hedfan i Efrog Newydd ar ôl be oedd wedi digwydd yn y fan honno, nac i Washington yn dilyn yr ymosodiad ar y Pentagon, a doedd dim posib gwybod pryd byddai'r sefyllfa'n newid. Felly penderfynwyd fy ngyrru i Bacistan, ac mi ges gyfarwyddyd i fynd at y doctor y diwrnod wedyn i gael y brechiadau angenrheidiol. Erbyn hynny, wrth gwrs, roedd hi'n amlwg mai al-Qaeda oedd yn gyfrifol am yr ymosodiadau, a'r rheswm dros fynd i Bacistan oedd i gael ymateb o'r wlad lle roedd cryn gefnogaeth i fudiad Osama bin Laden.

Ar y dydd Sadwrn, bedwar diwrnod ar ôl y digwyddiadau yn America, ro'n i'n hedfan o faes awyr Heathrow yn Llundain am Islamabad. Trefnwyd i gyfarfod y cydweithiwr oedd yn dod drosodd efo fi – Tim Jones – yn y maes awyr. Cynhyrchydd efo'r BBC ar lefel Brydeinig ydi Tim, ond mae o hefyd yn ddyn camera ac yn gweithio yng Nghaerdydd. Mi oedd o'n dod â'r offer camera a'r offer golygu efo fo fel ein bod ni'n gallu bod yn 'annibynnol' ym Mhacistan.

Cyn cychwyn mi o'n i'n rhyw feddwl, 'Duwcs, mi fyddwn ni'n iawn yn fanno,' ond mae'n siŵr hefyd mod i dipyn bach yn betrusgar, taswn i'n hollol onest. Ond ar yr awyren wrth hedfan yno mi o'n i'n darllen papur newydd, a'r pennawd yn hwnnw oedd: 'Every Briton is a target in Pakistan'. O bobol bach! Ella 'sa'n well taswn i wedi aros adra a mynd yn ddyn llefrith! Roedd 'na luniau yn y papur hefyd o bosteri Tony Blair yn cael eu llosgi yn Islamabad, ac i'r ddinas honno roeddan ni'n mynd. Yn naturiol, ro'n i'n dechrau meddwl be oedd o mlaen i.

Dyma gyrraedd Islamabad ganol nos ac mi oedd y maes awyr yn orlawn o bobol, yn mynd a dod, a'r brodorion i gyd yn eu dilladau gwynion. Byd gwahanol hollol. Mi gawson ni dacsi o'r maes awyr i'r gwesty, ac roedd y gyrrwr yn cael ei stopio bob hyn a hyn gan blismyn ac yn gorfod talu cildwrn iddyn nhw i adael iddo fynd trwodd. Roedd pobol yn cynnig golchi ffenast flaen y car bob tro roedd o'n stopio mewn goleuadau traffig, ac eraill wedyn yn gwerthu papurau newydd y diwrnod cynt a ballu. Hyn i gyd ganol nos. 'Sut bydd hi yma yng ngolau dydd, tybed?' meddyliais. Roedd o'n lle rhyfeddol.

Mi oedd y gwesty allan o ganol y ddinas, a sôn am le oedd hwnnw! Cocrotshys yn y gawod, ac ati. Er nad oedd o'r lle glanaf dan haul, ar ôl bod yno am ryw wythnos ro'n i'n teimlo'n reit gartrefol!

Yr hyn a'm synnodd i fwya ar y dechrau oedd pa mor glên oedd pawb. Mi fues i'n meddwl am y pennawd papur newydd hwnnw oedd yn honni bod pawb o

Brydain yn darged, ond i'r gwrthwyneb oedd hi, hyd y gwelwn i. Ar yr wyneb, beth bynnag.

Y peth cynta roedd raid ei neud oedd mynd i'r Llysgenhadaeth Brydeinig i gael rhyw fath o fisa i gael aros yno. Mi o'n i wedi cael fy rhybuddio cyn mynd i ddeud mai o Gymru ro'n i'n dod pe bai rhywun yn holi, ac i beidio deud fy mod i efo'r BBC – rhag gneud fy hun yn darged. Ro'n i wedi bod ar gwrs *hostile environment* erbyn hyn, felly ro'n i'n ymwybodol o'r peryglon posib.

Beth bynnag, dyna lle ro'n i'n ciwio i gael y fisa 'ma, ac mi oedd 'na bobol leol wrth f'ymyl i. Ymhen ychydig dyma un yn gofyn i mi o ble ro'n i'n dod, a finna'n ateb mai o 'Wales'.

'Ah, so you're English,' meddai'r brawd.

'Oh no – Welsh,' medda finna.

'No, no, no. You say you are Welsh, but when you play cricket you are English,' medda fo. A dyma finna'n chwerthin. Roedd hynny'n hollol wir, wrth gwrs, a fedrwn i ddim dadlau efo hynna!

Gwesty'r Marriott yng nghanol Islamabad oedd pencadlys yr holl gwmnïau teledu oedd yno. Roedd y lle'n anferth, ac roedd 'na fesurau diogelwch llym iawn yno, fel y gellid disgwyl. Y drefn oedd gneud adroddiadau yn y bore am y sefyllfa ddiweddaraf o Bacistan ar gyfer y *Post Cyntaf* ar Radio Cymru, ac i Radio Wales yn fy Saesneg gorau. Cael rhyw fath o frecwast wedyn – omlet efo *chilli* ynddo fo fel rheol, a the. Mi oedd o'n weddol, ddudwn ni fel'na. Wedyn i ffwrdd â ni i ffilmio a gneud cyfweliadau ar gyfer y bwletinau newyddion, ac yna gneud darn byw gyda'r nos. Mi oedd o'n ddiwrnod hir, ac yn sicr ddim yn wyliau! Roedd hi'n ddistawach ar benwythnosau gan nad oedd 'na gymaint o raglenni yn awchu am eitemau a chyfweliadau.

Roeddach chi'n gallu cael teledu Prydain a Sky yn swît y BBC yn y Marriott, ac fel mae'n digwydd roedd Leeds United yn gneud yn reit dda yr adeg honno ac yn agos i frig y gynghrair. Un pnawn Sadwrn roeddan nhw'n chwarae Lerpwl yn Anfield a'r gêm yn fyw ar Sky, a dyna lle ro'n i'n gwylio hon ar fy mhen fy hun yn fanno. Roedd hi'n reit braf cael tawelwch, a deud y gwir. Gan mai'r gwesty oedd canolfan yr holl gyfryngau mi oedd swyddogion llywodraeth Pacistan yn dod yno'n rheolaidd i neud cyfweliadau. Pwy ddaeth heibio pan o'n i'n gwylio'r gêm ond gweinidog tramor Pacistan. Roedd hi'n ddynes glên, ac mi fues i'n siarad efo hi ac yn mwydro am Leeds United a ballu. Roedd hi yno i gyfarfod Lyse Doucet, newyddiadurwraig o Ganada sy'n un o gyflwynwyr y BBC ar *News 24*. Hynny fu.

Duwcs, rhyw dridiau wedyn mi ddaeth hon heibio eto, a finna'n digwydd bod yn yr un ystafell. Dyma hi'n deud helô a hyn a llall, ac yn y diwedd dyma hi'n gofyn:

'Where's Lyse?'

'Oh, they're top of the league now,' medda finna, yn meddwl mai Leeds oedd y ddynas wedi ddeud! Ar ôl i mi sylweddoli be o'n i wedi neud mi wnes i drio dod allan ohoni trwy ddeud, 'She's at the top of the building . . .' – ond dwi'm yn meddwl iddi gael ei thwyllo!

Roedd 'na Gymry Cymraeg yn Islamabad hefyd, cofiwch! Sarah Mahmood oedd un y buon ni'n ei holi, a dynes arall o Fethesda o'r enw Meira Ayub, oedd wedi priodi brodor o Bacistan, Ghayur Ayub, pan oedd o'n feddyg yng Nghymru. Mi oedd ganddi hi faner y Ddraig Goch tu allan i'w thŷ, ac mi gawson ni groeso mawr ganddyn nhw. Roedd hi'n reit braf gweld Cymry Cymraeg mewn lle dieithr fel'na.

Mae'r ddinas yn anferthol, y traffig yn ddi-baid a phobol ar ben bysys a phob dim. Ond doeddech chi ddim yn gweld llawer o ferched allan – dim ond dynion, gan fwya, yn y parciau'n chwarae criced neu jest yn lownjan o gwmpas y lle. Maen nhw'n chwarae criced ym mhob man yno, bron.

Roedd yr holl gyfoeth oedd i'w weld yn y Marriott yn taro rhywun yn syth, yn wahanol iawn i'r tlodi enbyd oedd mewn rhannau eraill o'r ddinas. Mi oedd rhai llefydd fel rhywbeth allan o nofel Charles Dickens: adeiladau uchel a charthion yn llifo trwy'r stryd. Mi oedd o'n agoriad llygad gweld y pethau 'ma, a phobol yn gwerthu pob mathau o gigoedd, yn bennau defaid ac ati, ar ochr y ffyrdd yn y gwres a'r llwch. Roedd moethusrwydd y Marriott yn atgoffa rhywun o ddyddiau'r Raj, bron iawn, efo dyn yn y dderbynfa mewn lifrai coch henffasiwn yn eich croesawu chi wrth i chi ddod i mewn.

Roedd holl stafelloedd y gwesty wedi'u cymryd drosodd gan gwmnïau teledu o bob cwr o'r byd (yn cynnwys y BBC, wrth gwrs), ac wedi cael eu troi'n swyddfeydd golygu. Ond pan oedd hi'n brysur yn y swyddfa roedd o'n help fod gan Tim ei offer golygu ei hun. Roedd hi bron iawn yn haws gneud adroddiadau i'r radio yno nag oedd hi 'nôl yng Nghymru! Erbyn hyn roedd offer lloeren wedi datblygu, ac roedd rhywun yn gallu deialu Caerdydd ac anfon adroddiad trwodd mewn rhyw funud a hanner. Roedd yn gallu cymryd mwy na hynny yng Nghymru os oeddech chi'n gorfod aros am lein rhwng yr Wyddgrug a Chaerdydd!

Yn aml iawn mae'r criw sydd yn y stiwdio'n cael darlun cliriach o be sy'n mynd ymlaen na'r gohebydd sydd allan ar y stori, achos i fanno mae'r holl wybodaeth yn cyrraedd. Cael yr ymateb i'r stori mae'r gohebydd gan amlaf. Ond mae gan y BBC adnoddau anhygoel, wrth gwrs, ac ro'n i'n gallu manteisio ar hynny – y BBC World Service, er enghraifft – i gael gwybod be'n union oedd yn digwydd ar draws y byd, achos mi oedd hon yn stori fyd-eang go iawn. Roedd cefnogaeth y criwiau cynhyrchu filoedd o filltiroedd i ffwrdd yng Nghaerdydd a Bangor yn amhrisiadwy hefyd.

Mi oedd 'na brotestiadau anferth yn cael eu cynnal bob dydd ym Mhacistan gan gefnogwyr al-Qaeda, a byddai Tim a finna'n mynd i'r gwahanol lefydd yma a jest adrodd oddi yno. Os oeddan ni'n amau y gallan ni fod mewn peryg yn rhywle, roeddan ni'n gorfod rhagbaratoi a gneud cynllun er mwyn medru dianc oddi yno pe bai angen. Ond roeddan ni'n weddol hyderus na fyddai 'na lawer o broblem oherwydd eu bod nhw isio i gyfryngau'r gorllewin fod yno fel eu bod nhw'n cael eu neges i weddill y byd. Doeddan ni ddim yn teimlo ofn gymaint â hynny, ond mae hynny'n gallu gneud i chi deimlo'n ddiogel pan na ddylech chi. Dim ond un gwallgofddyn yng nghanol y miloedd ar filoedd o bobol oedd ei angen . . .

Dyna lle roeddan nhw'n llosgi delwau a delweddau o Tony Blair a George W. Bush, ac yn gweiddi a llafar-ganu 'Taliban! O! Taliban!' Mi oedd 'na filoedd yn y protestiadau welson ni, ond mae'n siŵr y byddai'r bobol leol yn deud mai rhai digon bychan oeddan nhw o'u cymharu â rhai. Mae 'na ddegau – neu gannoedd – o filoedd yn cymryd rhan os ydi hi'n brotest fawr!

Ar ben to'r Marriott roedd gan bob cwmni teledu ei stondin ei hun, fel petai – y BBC, CNN, ABC ac yn y blaen, ac roeddech chi'n clywed y gwahanol acenion 'ma wrth basio heibio. Oddi yno yr oeddan ni'n gneud ein hadroddiadau, a'r rheswm am hynny oedd fod gynnoch chi'r ddinas i gyd y tu ôl i chi'n gefnlen. Roedd 'na filwr wrth y drws i fynd at y to, a hwnnw oedd ein 'giard' ni. Ryw lipryn o hogyn dwy ar bymthag oed oedd o, yn pendwmpian yn fanno! Dwi'n siŵr na fasa fo o ddim help tasa 'na ymosodiad, ond mi oedd gynno fo wn, o leia. Fel mae'n digwydd, mi gafodd y Marriott ei thargedu ymhen blynyddoedd wedyn. Cafodd bom ei ffrwydro yno, a dwi'n cofio gweld y lluniau teledu'n dangos y lle wedi'i ddinistrio, a finna'n meddwl: 'O'n i yn fanna . . .'

Un peth arall am y gwesty oedd y bwyd – mi oedd 'na gyrris gwych ryfeddol i'w cael yno, ond roeddach chi'n cael llond bol ar y rheiny hyd yn oed yn y diwedd. Mi oedd stumog rhywun yn dioddef mewn dim o dro yno p'run bynnag. Roeddach chi'n trio bod yn ofalus i beidio yfed dŵr heblaw dŵr potel, ond mi oedd hi'n hawdd anghofio. Ac wrth gwrs mi oedd hi'n chwilboeth yno trwy'r amser.

Roedd gynnon ni *fixer* yno hefyd – boi lleol oedd yn ein helpu ni efo popeth dan haul, bron, ond yn benna yn trefnu cyfweliadau ac yn awgrymu pobol i'w holi a llefydd i fynd iddyn nhw. Ar wahân i'r protestiadau mi aeth o â ni i weld rhyw ffatri lle roedd y gweithlu i gyd yn byw'n lleol, a lle roeddan nhw'n talu cyflogau teg. Roedd hyn yn amlwg yn rhywbeth roedd y llywodraeth isio i ni ei weld. Roedd Pacistan dan reolaeth y fyddin ar y pryd – y Cadfridog Musharraf, a ddaeth yn Arlywydd Musharraf yn fuan wedyn.

Mi fues i draw i Bacistan yn ddiweddarach, hefyd, ac erbyn hynny roeddan nhw wedi tynhau'r rheolau'n arw. Y dyn camera Guto Orwig oedd hefo fi'r tro hwnnw, a wna i byth anghofio be ddigwyddodd iddo fo.

Bellach, roedd angen cael fisa wedi'i baratoi ymlaen llaw, ac roedd yn rhaid mynd i swyddfeydd llywodraeth Pacistan yn Manceinion i'w gael o. Ond doedd Guto ddim wedi cael un, nagoedd?! Mi aethon ni'r holl ffordd i Islamabad yr eildro – fo efo'i holl offer camera a golygu, oedd fel Arch y Cyfamod – a chyrraedd yno ganol nos eto. Dyma nhw'n gofyn am ei fisa fo, a dyma fynta'n dangos ei basbort a deud y gallai gael fisa o'r British Consulate y diwrnod canlynol.

'Oh no, no, no. You go back,' oedd yr ymateb.

A dyna fu'n rhaid i'r creadur ei neud – mynd yn ei ôl i Brydain, y fo ac Arch y Cyfamod! Doedd 'na ddim dadlau o gwbl efo nhw. Roedd yn rhaid i mi fynd yn fy mlaen ar fy mhen fy hun, a Guto'n mynd y ffordd arall ar ei ben ei hun. O leia ro'n i wedi bod yno o'r blaen ac yn gwybod be oedd be, ond roedd o'n deimlad reit annifyr, mae'n rhaid deud.

Wrth chwilio am dacsi i fynd â fi i'r gwesty, mi wnaeth o fy nharo y gallai'r gyrrwr fod yn unrhyw un – mi allai fod yn Osama bin Laden ei hun, am a wyddwn i. Doedd 'na ddim prawf i ddeud pwy oedd pwy, ac mewn dinas lle mae'r heddlu'n cael cildwrn gan y gyrwyr tacsi, mi oedd hynny'n poeni rhywun braidd! Ond roedd popeth yn iawn ac mi oedd o'n foi clên, fel mae'n digwydd.

Ro'n i ar fy mhen fy hun am ddau neu dri diwrnod ond roedd y gwesty'n dipyn gwell y tro hwn, ac yn agos at y Marriott. Tan i Guto ddod yn ei ôl ro'n i'n gweithio efo criw ffilmio o Awstralia, ac un ohonyn nhw oedd yn gyfrifol am achlysur lle gallai pethau fod wedi troi allan yn ddrwg iawn i ni. Mi oedd 'na griwiau teledu o bob cwr o'r byd yno, a chlwb ar gyfer gorllewinwyr yn y Marriott. Y bar yn y fan honno oedd yr unig le roedd rhywun yn gallu prynu cwrw, a dim ond yn fanno roeddech chi'n cael ei yfed o, yn ôl a ddalltwn i – er, dwi'n prysuro i ddeud na fues i ar gyfyl y lle, wir yr! Ond beth bynnag, mi lwyddodd y golygyddion 'ma o Awstralia i ddod â chwrw o'r bar.

Dyna lle roeddan ni un bore'n ffilmio rhyw brotest fawr arall, pan syrthiodd y bag 'ma ar y llawr a hwnnw'n llawn o boteli cwrw! Do'n i'n gwybod dim amdano fo tan hynny. A dyna i chi'r adeg y teimlais i fwya ofnus yn ystod fy ngyrfa fel gohebydd. Mi allai unrhyw beth fod wedi digwydd. Maen nhw mor wrth-alcohol yno, mi allai fod wedi troi allan yn ddifrifol iawn i ni. Ond wrth lwc wnaeth y poteli ddim torri, ac yn bwysicach na hynny, wnaeth neb sylwi ar y peth. Mewn gwirionedd, mi oedd gen i reswm da dros beidio mynd i lawr i'r clwb yn y gwesty – tasa'r terfysgwyr isio targed amlwg, wel fanno fasa fo, mae'n debyg, felly mi wnes i benderfynu cadw draw!

Ar ôl i Guto ailymuno yn yr antur, roeddan ni wedi cael gafael ar yrrwr tacsi a oedd hefyd yn rhyw fath o *fixer* i ni. Taj oedd ei enw, ac roedd o'n mynd â ni i bob man, ac yn cymryd arno'i fod o'n nabod pawb. Mi oedd o'n mynd â ni i lefydd na fuasen ni wedi cael mynd iddyn nhw fel arfer, ac yn ein cyflwyno i wahanol bobol fedren ni neud cyfweliadau efo nhw – er enghraifft, aelodau o grwpiau eithafol. Mi oedd o'n gwybod pwy oedd pwy, ac mi fyddai'n deud: 'Mi fyddwch chi'n iawn efo'r rhain . . .' Roeddan ni'n rhoi ein ffydd i gyd yn Taj, ac mi oedd o'n un da iawn, chwarae teg iddo fo.

Mi aeth o â ni i Peshawar ar y ffin efo Affganistan, ac i Rawalpindi – dinas fawr i'r de o Islamabad. Mi ges i godwm yn fanno! Gneud adroddiad i Radio Wales ryw amser cinio ro'n i. Rŵan, dwi ddim yn hollol gyfforddus yn gweithio yn Saesneg, ond dwi'm yn meddwl mai hynny oedd yn gyfrifol. Mi oedd 'na stepan go uchel, a welais i mohoni. Mi gymerais i gam gwag a disgyn, gan fwrw un o fy nannedd blaen ar y llawr. Mi oedd fy ngheg i'n gwaedu fel dwn i'm be, a'r dant wedi troi'n ddu. Dyma Taj yn deud:

'Taj taxi driver for you, Taj reception for you, Taj producer for you, but Taj no doctor!'

Aeth â fi i fferyllfa ac mi ges i ryw stwff yn fanno, ond wnaeth o ddim gwahaniaeth o gwbl. Mi oedd yn rhaid cael triniaeth gan y deintydd ar ôl mynd adra. Dyna'r agosa ddois i at gael *war wound*, ond fy mlerwch i fy hun oedd yn gyfrifol am hynny. Ta waeth, wnes i mo'r adroddiad i Radio Wales y bore hwnnw!

Fel soniais i, cyn mynd i Bacistan ro'n i wedi bod ar gwrs i'ch dysgu chi sut i ymddwyn mewn sefyllfaoedd peryglus. (Faswn i ddim wedi cael mynd i Bacistan oni bai mod wedi cwblhau'r cwrs). Roeddech chi'n mynd i ryw blasty gwledig ger Reading, ac yno roedd cyn-aelodau o'r Marines yn eich trwytho chi sut i ymddwyn a sut i ymateb mewn amgylchiadau allai fod yn beryglus. Roedd y rheiny wrth eu boddau, wrth gwrs, yn cael deud be-di-be wrth ryw hacs meddal fel ni, a nhwytha wedi bod yn y Falklands a ballu, ac yn eu helfen yn sôn am eu hanturiaethau ac yn codi braw arnon ni.

Ar ôl cael darlith roeddan ni'n mynd ar daith rownd y lle mewn gwahanol landrofyrs, ond y peth nesa, roeddan nhw'n ymosod arnon ni (yn union fel *ambush*), efo ufflon o sŵn saethu a phob math o bethau. Wedyn roeddan nhw'n eich tynnu chi allan o'r cerbydau ac yn eich rhoi chi ar eich gwynebau ar lawr. Doedd fiw i neb gymryd hyn yn ysgafn neu mi fysan nhw'n eich brifo chi, achos mi oeddan nhw'n hollol o ddifri ac yn gweiddi arnon ni ar dopia'u lleisiau drwy'r amser. Roeddan nhw'n rhoi mwgwd fel rhyw hen sach am eich pen chi ac yn clymu hwnnw efo cortyn, ac yn mynd â modrwyau, watsys ac ati oddi arnoch chi. Doedd rhywun ddim yn gwybod lle ddiawch roedd o. Roedd raid i chi fod yn berffaith lonydd. Dwi'n cofio trio symud fy llaw i weld beth fasa'n digwydd, ac roedd 'na droed ar fy llaw y munud hwnnw! Roedd hi'n amhosib deud am faint y buon ni'n gorwedd yn fanno ond roedd o'n teimlo fel tua chwarter awr. Mi oedd o'n reit frawychus, er eich bod chi'n gwybod nad oedd hi'n sefyllfa o ddifrif, ond dyna holl bwrpas y peth.

Roeddan nhw'n ein siarsio ni, petasan ni mewn sefyllfa o'r fath go iawn, i fod yn 'Mr Grey'. Hynny yw, nid yn Dewi Llwyd ond yn 'ddi-liw', mewn ffordd, fel nad oeddach chi'n tynnu sylw atoch chi'ch hun a gneud eich hun yn darged. Mi ddysgais am bwysigrwydd cadw'ch pen i lawr, peidio syllu ar neb, ac ufuddhau i bob gorchymyn. Cyngor doeth sy'n gallu bod yn ddefnyddiol iawn pan mae pethau'n mynd yn rhy boeth ar *Taro'r Post* o bryd i'w gilydd!

Ar y Marc ac ati

Tydi'n rhyfedd sut mae'r syniadau gorau wastad yn digwydd ar yr adegau mwya annisgwyl? Eistedd o dan goeden roedd Isaac Newton, yn ôl y stori, pan ddisgynnodd yr afal hwnnw ar ei ben a'i helpu i egluro rheolau disgyrchiant. Bath yn gorlifo roddodd y fflach o ysbrydoliaeth i Archimedes pan floeddiodd o 'Eureka!' wrth sylweddoli bod ei gorff wedi disodli swm cyfartal o ddŵr o'r baddon. Yn y ciw cinio yn y cantîn ro'n i pan gafodd syniad am raglen radio sydd wedi chwarae rhan fawr yn fy mywyd i am ugain mlynedd a mwy ei chrybwyll am y tro cynta.

Ro'n i wedi gneud ambell gyfres i Radio Cymru cyn i mi fynd yn ohebydd amser llawn. Dwi'n barod wedi sôn am *Wrth y Lliw*, y gyfres am liwiau, ac *Ym Mhen Draw'r Byd*, cyfres am brofiadau pobol yn teithio dramor. Ond ychydig cyn Nadolig 1991 daeth Elwyn Jones, uwch-gynhyrchydd ym Mangor, ata i yn y ciw cinio a deud ei fod o isio gair ynglŷn â 'rhaglen ffansîn ar chwaraeon'. Y syniad oedd rhoi sylw i bob math o chwaraeon, ac yn arbennig i rai ymylol, a'i darlledu hi'n fyw cyn y newyddion ar foreau Sadwrn. Cyfres o chwech oedd y bwriad gwreiddiol.

'Oes gen ti awydd ei chyflwyno?' holodd.

Fy ymateb cynta oedd na fedrwn i ei gneud hi. 'Mi fydda i ym mhen draw Lloegr 'na, neu rywle, ar fy ffordd i sylwebu ar gêm bêl-droed yn y prynhawn – alla i ddim bod yn fama yn y bora.'

'Argian, mi fyddi di wedi gorffen erbyn 8.30 y bore, mi fedri di fod yn Hartlepool cyn tri yn braf,' meddai.

'Ocê ta, driwn ni hi,' medda finna.

Syniad y cynhyrchydd Geraint Ellis oedd y gyfres, ac roedd o wedi meddwl cael Dylan Llewelyn i mewn efo fi fel *sidekick*. Dim ond y ddau ohonan ni oedd yno ar y dechrau, a Bryn Tomos yn dod i mewn i adolygu'r papurau. Athro oedd Bryn, ac yn rhyfedd iawn roedd o'n byw ryw ddwy filltir oddi wrthon ni erstalwm. Mi fyddwn yn mynd efo fo a'i dad i weld gêmau pêl-droed pan o'n i'n iau – roedd gynnyn nhw docyn tymor yn Everton, a be fyddwn i'n neud oedd sgwennu at Everton yn holi am docyn mor agos â phosib i'w sedd nhw yn yr Upper Bullens Road Stand ym Mharc Goodison, ac wedyn mi fydda Bryn a finna'n eistedd efo'n gilydd a'i dad yn mynd i'r sedd arall yma. Gwych. Mae gen i ddiddordeb mawr ers blynyddoedd mewn stadiymau a'u hanes, ac mae Parc Goodison a'i holl draddodiad yn sicir yn un o'm ffefrynnau.

Beth bynnag, mi ddechreuodd *Ar y Marc* ar Sadwrn cynta Ionawr 1992 – y pedwerydd o Ionawr, a bod yn fanwl, diwrnod y gêm anfarwol honno pan gurodd Wrecsam Arsenal 2–1 yng Nghwpan FA Lloegr. Mi fuon ni'n holi Dei Charles o Lanuwchllyn, cefnogwr Wrecsam – ac mi ydan ni'n dal i'w holi fo fel un o selogion y Cae Ras hyd heddiw. Chwarae teg iddo fo, mae o wedi bod yn ffyddlon iawn i *Ar y Marc* – yn fwy ffyddlon nag i

Wrecsam, dwi'n siŵr! Dwi'm yn cofio manylion eraill y rhaglen ond mae'n sicir ein bod ni'n damcaniaethu y byddai Arsenal yn rhy dda i Wrecsam ac yn ennill yn hawdd!

Ro'n i wedi cael cynnig gneud y pecyn chwaraeon ar y newyddion teledu ar y nos Sadwrn, ac felly, yn hytrach na bod yn Hartlepool cyn tri fel roedd Elwyn Jones wedi'i awgrymu, ro'n i'n gorfod bod yn Gaerdydd erbyn dau i baratoi ar gyfer cyflwyno'r pecyn chwaraeon. Wrth gwrs, stori fawr y dydd oedd Wrecsam ac Arsenal, ac mi o'n i'n gwylio'r gêm ac yn golygu'r lluniau wedyn. Fel mae'n digwydd, honno oedd prif stori'r newyddion y noson honno hefyd.

Ar ôl hynna ro'n i'n cyflwyno'r chwaraeon o Fangor – doedd dim raid imi fynd i Gaerdydd. Felly'r drefn fyddai *Ar y Marc* yn y bore, yn ôl adra i Lannefydd am ychydig, ac yn ôl i Fangor wedyn!

Mi oedd 'na raglen ar orsaf deledu Granada erstalwm o'r enw *Granada Goals*, oedd yn cael ei darlledu'n hwyr ar bnawn Sadwrn. Roedd Gwilym Owen wedi cael y syniad gwych o ddefnyddio lluniau'r rhaglen honno ar *Newyddion*. Mi oedd 'na gytundeb y gallai'r BBC ddefnyddio hyn a hyn o stwff ITV ar eu newyddion, cytundeb o'r enw *news access*. Ia, hyn a hyn . . . ond roeddan ni'n defnyddio llwyth! Ar Granada roeddan nhw'n dangos goliau Wrecsam, ac os oedd Caerdydd neu Abertawe'n chwarae yng ngogledd-orllewin Lloegr, roeddan ni'n cael eu goliau nhw. Roeddan ni hefyd yn cael goliau Everton, Lerpwl, Man U a Man City. Be oeddan ni'n ei neud oedd recordio'r rheiny a'u golygu nhw wedyn fel lladd nadroedd, achos weithiau mi fyddai'r sgôr neu ryw eiriau eraill yn rhan o'r lluniau. (Tymor ola'r hen Adran Gyntaf oedd hyn, cyn i Uwch-gynghrair Lloegr ddechrau.) Ond yn y diwedd mi ddalltodd Granada be oedd yn mynd ymlaen, dwi'n meddwl, a rhoi'r gorau i ddangos goliau Wrecsam.

Fel dywedais i, cyfres am chwech wythnos oedd *Ar y Marc* i fod, ond ymlaen yr aeth hi heb i neb ddeud dim byd. Does gen i ddim cof i neb ofyn o'n i'n fodlon dal ati na dim. Ro'n i wrth fy modd p'run bynnag! Ar y dechrau roeddan ni'n rhoi sylw i bob math o chwaraeon – os oedd 'na gystadleuaeth golff fawr yn digwydd bod, roeddan ni'n sôn am honno, neu bêl-droed Americanaidd neu be bynnag.

Rhyw esblygu'n raddol wnaeth y busnes chwarae ar eiriau fydda i'n neud ar ddechrau'r rhaglen. Dwi'n meddwl ei fod o wedi dechrau efo rhyw gystadleuaeth fach ddiniwed – rhywbeth fel 'Gwnewch dîm efo enwau neu eiriau'n ymwneud ag amaethyddiaeth'. Roeddan ni'n cael cynnal cystadlaethau'r adeg honno cyn i'r BBC newid y rheolau, ac mi oedd o'n slot bach reit ddifyr. Un o'r cystadleuwyr cyson oedd Gary Pritchard ac mi ddaeth yn un o'r cyfranwyr selog, ac mae o'n dal i gyfrannu.

Does 'na neb rioed wedi deud wrtha i am neud cyflwyniad yn chwarae ar eiriau ac yn defnyddio geiriau mwys. Mae hynna jest wedi digwydd yn naturiol ac yn raddol, nes bod pobol yn ei ddisgwyl o gen i erbyn hyn, ac oherwydd hynny dwi'n defnyddio mwy ohono fo. Mae'n rhan o f'arddull i rŵan. Ar nos Iau fydda i'n gneud y lincs i *Ar y Marc* fel rheol, achos dwi ddim isio'r pwysau ar nos Wener. Ond weithiau mi fydda i'n deffro ganol nos, wedi meddwl am rywbeth, ac mi fydd yn rhaid ei sgwennu fo i lawr yn syth bìn neu mi fydd wedi mynd yn angof. Mae'n dod yn haws ar ôl dipyn. Mi fydda i'n gneud rhestr o eiriau mwys yn ymwneud â'r brif stori i ddechrau, wedyn yn eu plethu nhw i mewn i frawddegau.

O ran tîm y rhaglen ar y dechrau, roedd gynnoch chi Dylan Llewelyn, wrth gwrs – oedd yn swyddog gyrfaoedd bryd hynny ac yn ffan mawr o Lerpwl, a hefyd yn cynhyrchu ffansîn ar-lein tîm Cymru. Felly mi oedd o'n ddelfrydol ac yn rhoi stamp y ffan ar y rhaglen o'r dechrau. Roedd yn rhaid i Dylan adael pan ymunodd o ag Adran Chwaraeon y BBC, felly dyna pryd cawson ni Gary Pritchard, y cefnogwr Wrecsam brwd, i mewn. (Mi fuodd Aled Jones-Griffith o Ben-y-groes hefyd yn cyfrannu am sbel, tan iddo fo gael ei eilyddio pan ddaeth Dylan Llewelyn yn ei ôl!) Mae Dylan, Gary a finna wedi bod yn ffrindia mawr ers hynny.

Mae 'na sawl un hefyd wedi bod yn adolygu'r papurau i ni dros y blynyddoedd, ond mae'r slot honno wedi diflannu achos bod y papurau mor unffurf y dyddiau yma, a beth bynnag mae'r cyfranwyr eraill yn gallu sôn am unrhyw storïau sydd yn y papurau.

Erbyn hyn, oherwydd galwadau eraill, mae gynnon ni rota o gyfranwyr: Dylan Llewelyn, Gary Pritchard, Meilir Owen, Glyn Griffiths, Iwan Arwel y dyfarnwr, Ian Gill ac Osian Roberts (un o griw hyfforddi tîm pêl-droed Cymru, sy'n wych i ni am ein bod yn cael gwybodaeth am garfan Cymru o'r tu mewn). Mae cael bod yng nghwmni'r hogia'n grêt, ac mae'r siarad yn y swyddfa am tua awr cyn mynd ar yr awyr fel bod mewn stafell newid cyn gem bêl-droed – dadlau, tynnu coes, a rhoi'r byd ffwtbol yn ei le.

Fel y soniais i, y cynhyrchydd cynta oedd Geraint Ellis, ac ar ei ôl mi ddaeth Rhodri Tomos, ac wedyn Dylan Wyn. Fo benderfynodd (tua diwedd y nawdegau) newid y rhaglen i fod am bêl-droed i gyd. Dyna oedd ein diléit ni, ac mae 'na wastad ddigon i'w drafod. Yn rhyfedd iawn, mae Dylan Wyn wedi dod yn ei ôl fel cynhyrchydd erbyn hyn.

Rhai eraill fu'n cynhyrchu *Ar y Marc* oedd Marian Evans (mi wnaeth hi fwy nag un cyfnod wrth y llyw), Nia Lloyd Jones, Llinos Jones ac Ann Fôn. Nhw fyddai'r cynta i gyfaddef nad ydyn nhw'n gwirioni cymaint ar y gêm ag y mae'r cyflwynydd a'r panelwyr, ond maen nhw'n gallu edrych ar y peth o ongl wahanol – o safbwynt y person cyffredin. Mae'n rhaid cofio nad rhaglen gan yr Adran Chwaraeon ydi hi, ond gan yr Adran Gyffredinol.

A dyma ni, dros ugain mlynedd yn ddiweddarach, ac mae hi'n dal i fynd. Ro'n i'n meddwl bod y deng mlynedd cynta wedi mynd yn sydyn, ond mae'r ail ddegawd wedi hedfan heibio! Mi ddechreuodd Uwch-gynghrair Lloegr ac Uwch-gynghrair Cymru yn yr un flwyddyn â ni, felly mae'r rhaglen wedi cydredeg â hynny a chyda'r twf aruthrol ym mhoblogrwydd pêl-droed. Mae 'na fwy yn gwylio'r gêm nag erioed. Mae hi wedi dod yn gêm fwy derbyniol gan bob haen o gymdeithas erbyn hyn, ac mae *Ar y Marc* wedi elwa o'r poblogrwydd hwnnw. Mae ffigurau gwrando'r rhaglen, am wn i, yn dangos bod pobol yn ei mwynhau, ond dwi'm yn gwybod yn union be ydi'r rheswm am hynny.

Mi gewch chi bobol yn deud: 'Dwi'n gwrando arnoch chi bob bore Sadwrn ond sgen i'm diddordeb o gwbl mewn pêl-droed.' Be mae rhywun yn drio'i neud ydi gneud y pwnc yn berthnasol i bawb, o'r ffan pêl-droed mwya brwd i'r person sydd â dim diddordeb yn y gêm, ond sy'n digwydd bod yn gwrando wrth olchi'r llestri yn y gegin gefn, ella.

Cael y balans yn iawn ydi'r gamp – peidio bod yn rhy arbenigol rhag colli'r gwrandawr cyffredin, a pheidio bod yn rhy arwynebol neu mi fydd y rhai sydd â dealltwriaeth o'r gêm yn deud: 'O, mae'r rhain yn malu awyr, dydyn nhw'm yn gwbod am be maen nhw'n sôn.' Cymryd golwg ysgafn ar bêl-droed ond heb fod yn rhy ysgafn.

Mae pobol yn fwy cyfarwydd â phêl-droed Uwch-gynghrair Lloegr a'r enwau mawr, ond rydan ni hefyd yn ceisio rhoi sylw teilwng i Uwch-gynghrair Cymru ac i bêl-droed ar lawr gwlad. Ond fedrwch chi ddim plesio pawb bob amser!

Mae'r holl ymchwilwyr sy wedi gweithio ar y rhaglen dros y blynyddoedd wedi llwyddo i greu rhestr hyd cae pêl-droed o siaradwyr Cymraeg o bob cwr o'r byd sy'n cefnogi gwahanol dimau. Pob un ffan efo'i 'stori Gary Sprake' ei hun.

Rhaid i mi ddeud, dwi'n meddwl y byd o'r rhaglen, a gobeithio bod hynny'n dod drosodd i bawb sy'n gwrando arni. Y nod ydi ceisio gneud pob rhaglen cystal â'r un ddwytha bob tro. Wna i byth flino ar ei gneud hi, dwi'n siŵr o hynny, a diolch i'r holl gefnogwyr sy mor barod i siarad ar y rhaglen – hyd yn oed os ydyn nhw, fel Tommie Collins, y cefnogwr Chelsea brwd, neu Lywydd

Clwb Pêl-droed Bangor, y cyn-ddyfarnwr Gwyn Pierce Owen, braidd yn unllygeidiog ar brydiau!

Mi fues i'n cyflwyno'r rhaglen deledu *Y Clwb Pêl-droed* am ddwy flynedd nes i'r BBC golli'r cytundeb, ac mi oedd hi'n hyfryd cael gweithio efo criw cynhyrchu'r rhaglen, Sion Jones a Lowri Pugh-Jones, heb sôn am y criw technegol a'r sylwebydd, Dylan Griffiths. Mi ges i gynnig i gyflwyno'r *Sgorio* newydd ar bnawniau Sadwrn, ond gan mod i ar staff y BBC doedd dim modd i mi weithio i gwmni annibynnol yn ogystal ag i'r gorfforaeth. Dwi hefyd wedi cyflwyno *Taro 9* a *Newyddion,* yn ogystal â rhaglenni arbennig adeg etholiadau ac ati, a'r *Post Cyntaf* ambell waith. Os o'n i'n cyflwyno rhaglenni o Gaerdydd, ro'n i'n cael llety a chroeso gan Aled Price a Bethan, ei wraig.

Mi fyddwn hefyd yn cyflwyno *Stondin Sulwyn* ambell dro pan fyddai meistr y *Stondin*, Sulwyn Thomas, i ffwrdd. Ond fy mara menyn i ers deng mlynedd bellach ydi olynydd y *Stondin – Taro'r Post*.

Mi ddechreuodd y rhaglen ym mis Rhagfyr 2002 ar ôl i Aled Glynne Davies, Golygydd Radio Cymru yr adeg honno, benderfynu ailwampio'r amserlen. Rhaglen ddigon tebyg i'r *Stondin* ydi hi, er bod ambell elfen wahanol ynddi. Mi wnaethon ni gyflwyno'r slot 'Bocs Sebon' er mwyn i bobol gysylltu efo ni ynglŷn â rhywbeth sy'n eu corddi nhw, wedyn fe fydden ni'n trio cael pobol sy'n atebol i ymateb i'r feirniadaeth. Y nod ydi rhoi cyfle i wrandawyr gael deud eu deud – dyna sy'n cael y flaenoriaeth.

Golygydd cynta *Taro'r Post* oedd Garffild Lloyd Lewis,

a'r tîm cynhyrchu gwreiddiol oedd Mia Jones, Shian Jones, Wena Alun, ynghyd â fy ngwraig erbyn hyn, Elen Wyn! Ar y dechrau roedd Gethin Morris Williams a Rebecca Jones (Hayes wedyn) yn mynd o gwmpas y wlad fel gohebwyr lleol 'allan yn y maes'.

Os oes 'na stori sy'n hollti barn, yn amlwg mi ydan ni'n mynd i'w gneud hi, yn enwedig os mai honno ydi prif stori'r dydd ar y newyddion. Ond mae'n gallu bod yn anodd; os mai llofruddiaeth neu rywbeth felly ydi'r brif stori, wel, yn amlwg dydi hynny ddim yn mynd i fod yn destun trafodaeth i ni, felly mae'n rhaid dod o hyd i bwnc arall. Os cewch chi stori am bwnc fel crefydd, amaethyddiaeth, addysg, yr iaith neu faw ci, yna mae'r ffôn yn brysur iawn. Rydan ni'n ceisio dewis rhywbeth sy'n berthnasol i'r gwrandawyr ac yn ceisio cael clywed y ddwy ochr bob tro, ond weithiau mae hynny hefyd yn gallu bod yn anodd!

Wrth gwrs, mae unrhyw gynlluniau'n mynd allan drwy'r ffenest yn syth os cawn ni drafferth dod o hyd i bobol sy'n fodlon cymryd rhan yn y rhaglen. Yn Saesneg mi fedrach chi ddewis unrhyw un i siarad – mi allech fynd at brif weinidog gwledydd Prydain tasach chi isio. Ond dydi hi ddim mor hawdd cael siaradwyr ar bob pwnc yn Gymraeg, ac yn aml iawn dwi'n gorfod chwarae *devil's advocate* a chyflwyno'r ochr arall i'r ddadl fy hun. Ar adegau felly mae rhai'n meddwl mai dyna ydi fy marn i, ac mi gewch chi bobol yn deud: 'Argian, Dylan Tyddyn Iolyn yn siarad yn erbyn ffarmwrs!' neu be bynnag. Y cwbl dwi'n neud ydi rhoi'r ochr arall i'r ddadl pan na fydd gynnon ni rywun arall i neud hynny!

Mae eraill wedyn yn methu deall pam ein bod ni'n

trafod rhai pynciau penodol. Mae gynnoch chi fuchod sanctaidd yng Nghymru, pynciau mae rhai'n meddwl nad oes hawl eu beirniadu na'u trafod hyd yn oed. Mae'r Gymraeg yn gallu bod yn un. Ond i mi, mae'n arwydd o genedl iach os ydych chi'n gallu trin a thrafod pob dim, heb orfod osgoi rhai pynciau am fod 'na rai sy'n meddwl eu bod nhw uwchlaw trafodaeth.

Mi fyddwn ni'n trio trafod tri phwnc yn ystod pob rhaglen – a'r trydydd pwnc fel arfer yn ysgafnach na'r ddau arall. Mae'r tîm i gyd i mewn erbyn tua wyth o'r gloch y bore, ac yn eistedd rownd y bwrdd i benderfynu ymysg ein gilydd pa bynciau i fynd ar eu holau. Wedyn mae hi'n fater o fynd ati i weld pwy sy ar gael i siarad. Mi fyddwn yn gneud *trail* ar raglen Daf Du a Caryl tua 9.30 y bore – hynny ydi, rhoi crynodeb o'r pynciau y byddwn yn eu trafod. Mae hynny'n help garw i ni – mae'n rhoi ffocws inni benderfynu'n union lle rydan ni'n mynd. Mae Dafydd a Caryl yn dda iawn am drafod a helpu i roi sylw i'r rhaglen – fel ag roedd Jonsi cyn hynny, heb anghofio'r annwyl Grav yn y de-orllewin a wnaeth gymaint i hybu *Taro'r Post* (neu, yn ei eiriau o, 'clitsh-clatshio'r *Post*'!) yn ei filltir sgwâr.

Paratoi ac ymchwilio i'r gwahanol bynciau y byddwn ni wedyn am weddill y bore, ac mae'n braf clywed y ffonau'n canu ac yn dechrau prysuro. Mae hi'n hanner awr wedi hanner cyn ichi droi rownd, ac yn amser mynd ar yr awyr unwaith eto.

Bydd y rhaglen yn gadael y stiwdio ym Mangor o dro i dro ac yn mynd ar daith. Rydan ni wedi gneud 'Taith yr A470' ac ymweld â Llanrwst, Llanbryn-mair, Llanidloes, Pontypridd a Chaerdydd i weld pa bynciau sy'n corddi pobol yn y llefydd hynny. Mi wnaethon ni 'Daith yr Aberoedd' hefyd, o Berffro (Aberffraw) i'r Bermo (Abermaw), ac i Aberteifi, Aberhonddu ac Abertawe. Mi fyddwn yn y Sioe Frenhinol, yr Eisteddfod Genedlaethol ac Eisteddfod yr Urdd bob blwyddyn, ac yn y Senedd adeg Etholiadau'r Cynulliad a San Steffan.

Weithiau, mi fyddwn ni'n gadael Cymru hefyd! Rydan ni wedi bod yn yr Alban ar adeg gêm rygbi ryngwladol, a hyd yn oed ym Milan pan oedd tîm pêl-droed Cymru'n chwarae'r Eidal yng ngêmau rhagbrofol Pencampwriaethau Ewrop 2003. A choeliwch neu beidio, mi fuon ni ym Moscow un tro! Roedd hynny eto yn 2003 pan oedd Cymru'n chwarae Rwsia yng ngêmau ailgyfle yr un gystadleuaeth. Be dwi'n gofio ora am fanno ydi merch o'r enw Elena Parina oedd wedi'i geni a'i magu ym Moscow ond a oedd wedi dysgu Cymraeg, a Falmai Evans o Fethesda oedd yn byw yn y ddinas. Roedd Elena'n byw yn y stryd agosa at Falmai, ond doeddan nhw ddim yn nabod ei gilydd cyn hynny!

Mae gynnon ni'n selogion ar y rhaglen, pobol sy'n cymryd rhan neu'n ffonio'n rheolaidd i neud rhyw sylw neu'n cysylltu trwy un o'r dulliau eraill sydd ar gael erbyn hyn – neges destun ar y ffôn, ebost neu drydar. Mae'n bleser cael siarad efo ffyddloniaid o bob cwr o Gymru – o Huw Howatson yn Nyffryn Clwyd i Huw Edwards yng Nghaernarfon, ac o Marian Rees yn Nhal-y-llyn i Meryl Evans yn y Tymbl.

Mae'n rhaid gwrando a chanolbwyntio ar bob sill gan bob cyfrannwr, achos dydach chi ddim yn gwybod be mae pobol yn mynd i'w ddeud nesa. Mae gofyn bod ar flaenau'ch traed. Yn lwcus iawn, does 'na neb wedi rhegi na deud dim byd rhy ofnadwy hyd yma! Er, mi wnaeth un gwleidydd o'r Blaid Lafur roi'r ffôn i lawr arna i un tro ynglŷn â'r rhyfel yn Irac, er mai 'dim ond gofyn' wnes i!

Dro arall, ar ôl cael brechdan tiwna a nionyn i ginio gan Jan yn y cantîn, mi wnes i dorri gwynt gan feddwl nad oedd neb yn clywed. Ro'n i'n meddwl mod i wedi rhoi'r *fader* i lawr ar fy meicroffon, ond do'n i ddim! Dwi'm yn meddwl bod y gwrandawyr wedi sylwi, ond mi wnaethon nhw pan ddywedodd fy ffrindiau (honedig) yn nhîm *Taro'r Post* wrth *Wythnos i'w Chofio* be oedd wedi digwydd! Do, fe wnaethon nhw hynny i mi, cofiwch, jest er mwyn chwerthin am fy mhen i . . . Hen g'nafon gwael, 'te?

Tomos Morgan ydi'r golygydd sy wrth y llyw erbyn hyn, a'r tîm cynhyrchu ydi Mia Jones, Catrin Roberts, Sian Evans, Gethin Morris Williams, Ffion Jones a Delyth Davies. Fy nghyfaill Rhys Owen fydd yn llenwi'r bwlch pan fydda i ddim yno. Golygydd newyddion Radio Cymru ar hyn o bryd ydi Bethan Roberts, oedd yn ddisgybl yn Ysgol Maes Garmon, yr Wyddgrug, pan o'n i'n athro yno. Erbyn hyn, felly, mae hi'n fòs arna i!

Mae'r ffaith fod y criw'n gneud eu gwaith mor drylwyr yn ei gneud hi'n llawer haws i rywun fel fi. Mae'r rhaglen i weld yn reit boblogaidd, a phobol yn gwerthfawrogi'r cyfle i 'ddeud eu deud'. Felly cofiwch, os oes 'na rywbeth yn eich corddi, codwch y ffôn! Cysylltwch â ni!

O ganol Ionawr 2013 nid fi fydd yn cadeirio'r trafodaethau ar *Taro'r Post*. Yn gynharach eleni ces gynnig gan Bennaeth Rhaglenni a Gwasanaethau Cymraeg BBC

Cymru, Sian Gwynedd, i gyflwyno'r rhaglen newyddion foreol, y *Post Cyntaf*. Mi fydda i felly'n dilyn yn ôl troed Dad a'i rownd lefrith trwy godi'n gynnar a chynnal sgyrsiau ben bore.

Y teulu

Reit, rydach chi wedi cael cyflwyniad byr i rai o'r tylwyth mewn pennod gynharach, ond rŵan dyma i chi fwy o hanes y rheiny a thipyn o fanylion am weddill y teulu agos.

Dad

Fel y soniais i, bu Dad – Gwilym Jones, neu Gwil Tyddyn Iolyn i'w ffrindiau – farw'n gynharach eleni, ac yn ei gynhebrwng mi ges i'r fraint o ddarllen teyrnged roedd Irfon a finna wedi'i hysgrifennu iddo.

Dau air glywson ni dro ar ôl tro gan rai oedd yn dod draw i gydymdeimlo oedd 'gŵr bonheddig'. Un felly oedd o – bonheddig, addfwyn, cadarn, cydwybodol, hwyliog, ac yn trin pawb 'run fath bob amser.

Mi gafodd ei eni ym Mhentre Wern, Llangernyw, ar y 24ain o Fai 1930, yn fab ieuenga Evan ac Elizabeth Jones a brawd ieuenga Anti Bet, Yncl Harri, Yncl Griff ac Yncl John. Fel soniais i o'r blaen, y teulu'n symud wedyn pan oedd o'n wyth oed i Dyddyn Iolyn, Capel Garmon, lle buodd o'n byw ac yn ffermio nes iddo ymddeol ddeuddeg mlynedd yn ôl a symud i Lanrwst. Ar ôl gadael yr ysgol yn bedair ar ddeg, bu'n gweithio adra cyn mynd yn was ar ffarm Carneddau, Melin-y-coed, ac yna yn Nhŷ Newydd, Henryd. Roedd ei ddyddiau fel gwas fferm yn rhai hapus iawn, ond ar ôl colli'i fam a hithau'n ddim ond 53 aeth yn ei ôl adra i Gapel Garmon.

Roedd canu'n agos iawn at ei galon. Roedd o'n denor da ac mi fu'n aelod o gôr yr Eisteddfod Genedlaethol dair gwaith. Ond *Y Côr* i Dad oedd Côr Mebion Bro Aled, Llansannan. Mi gafodd dros chwarter canrif o bleser efo'r côr hwnnw, ac roedd y cyfeillgarwch a'r cymdeithasu'n golygu llawn cymaint â'r canu. Ar waetha'i salwch, mi lwyddodd i ganu efo'r côr yn Steddfod Wrecsam y llynedd. Roedd mynd ar y llwyfan ym Mro Maelor yn fuddugoliaeth ynddi'i hun iddo fo.

Fydden ni fel meibion ddim wedi dymuno cael tad gwell – tad oedd hefyd yn ffrind. Roeddan ni wrth ein boddau yn ei helpu o gwmpas Tyddyn Iolyn pan oeddan ni'n blant, ac mae Irfon a finna'n ddiolchgar iddo hyd heddiw am yr hyn ddysgodd o inni am fywyd wrth fynd ar y rownd lefrith. Er mor brysur oedd o roedd ganddo fo amser o hyd i fynd â ni i wahanol lefydd, fel gêmau pêl-droed yn Wrecsam, Lerpwl neu Everton. Ac ar ôl i ni adael y nyth, ato fo roeddan ni'n troi am gyngor efo unrhyw fath o DIY neu ryw bethau felly.

Doedd o byth yn flin, hyd yn oed pan oedd o'n ein dysgu ni i ddreifio. Dwn i ddim oedd yr un peth yn wir pan oedd o'n trio dysgu Mam, cofiwch! Pwy fasa'n meddwl y byddai'r ddau yn briod am 56 o flynyddoedd, o gofio mai trwy ddwyn ei menig hi yr aeth Dad ati i ennill calon Mam! Yn ôl yn 1953 mi ddaeth Mair Price (Mam) o'r Felinheli i fyw i Lanrwst ar ôl cael swydd fel athrawes yn Ysgol Gwytherin. Doedd hi ddim ond wedi bod yno gwta dair wythnos pan benderfynodd Dad yn yr Aelwyd un noson mai hon oedd yr un iddo fo. Yr hyn wnaeth o, felly, oedd dwyn ei menig hi er mwyn cael esgus i'w rhoi nhw'n ôl iddi – ar yr amod ei fod o'n cael ei cherdded hi adra. Dyna ddigwyddodd, a bu'r ddau'n cydgerdded am yn agos i drigain mlynedd.

Pan dorrodd Mam ei choes bum mlynedd yn ôl, roedd gofal Dad ohoni'n esiampl inni i gyd. Ond yn ystod y ddwy flynedd ddiwethaf mi ddaeth hi'n dro Mam i ofalu amdano fo. Wrth i'r misoedd fynd heibio hi oedd yr angor bellach, a fyddai Dad ddim wedi cael gofal gwell gan neb. Yn y diwedd roedd yn rhaid cael gofal arbenigol ac mi gafwyd hwnnw yn Hosbis Dewi Sant, Llandudno, am ddeg diwrnod olaf ei fywyd. Allwn ni fel teulu ddim diolch digon i staff a gwirfoddolwyr yr hosbis am y gofal anhygoel gafodd o ganddyn nhw.

Trwy gydol ei salwch chwynodd Dad ddim un waith. Doedd cwyno ddim yn rhan o'i natur. A wyddoch chi mai 'Diolch' oedd y gair dwytha ddudodd o wrthan ni o'i wely yn Hosbis Dewi Sant?

Ia, un felly oedd o – gŵr bonheddig.

Mam

Mi gafodd Mam ei geni ddau ddiwrnod ar ôl dydd Nadolig 1930 yn y Felinheli, lle roedd Taid yn fecar. Ar ôl mynd i'r ysgol ym Mangor aeth i Goleg Cartrefle, Wrecsam, i hyfforddi i fod yn athrawes.

Fel oedd yn gyffredin bryd hynny, bu'n rhaid iddi adael Cymru i gael ei swydd dysgu gynta – yn Wolverhampton, o bob man, ond roedd hi'n lletya gyda theulu o dras Cymreig. Mi fyddai'n gorfod tsiecio'i phensiliau a'i beiros ar ddiwedd pob diwrnod yn yr ysgol rhag ofn bod rhai o'r hen blant wedi'u dwyn nhw, medda hi! Roedd o'n agoriad llygad i rywun o gefn gwlad Cymru, mae'n siŵr. Wedyn mi ddaeth yn ei hôl i Gymru pan gafodd swydd yng Ngwytherin, ger Llangernyw yn Nyffryn Conwy – tipyn o newid byd eto! Mi roddodd y gorau i ddysgu ar ôl cael Irfon a finna, cyn dychwelyd i fod yn athrawes yn Ysgol Fabanod Llanrwst – hen Ysgol Watling, fel roeddan nhw'n ei galw hi. Fanno buodd hi wedyn tan iddi ymddeol fel dirprwy brifathrawes yn 1988.

Mam oedd yr un fyddai'n trio cadw trefn arnon ni pan oeddan ni'n fach – er, ar Dad roeddan ni'n gwrando! Ond mae'n debyg mai trwyddi hi dwi wedi cael fy niddordeb mewn pêl-droed – roedd Taid yn hoff iawn o'r gêm, ac yn chwarae i dîm Aberffraw yn y dauddegau.

Fel Dad, mae hithau'n hoff iawn o ganu a bu'n aelod o Gôr Carmel, côr merched o ochrau Llanrwst. Mae hefyd wedi bod yn weithgar efo Merched y Wawr yng Nghapel Garmon dros y blynyddoedd, ac yn ysgrifennydd y rhanbarth am gyfnod. Mae hi'n dal yn aelod o'r mudiad heddiw. Mae Mam yn gogydd penigamp hefyd, ond y prif beth sy'n mynd â'i sylw'r dyddiau yma yw'r wyrion a'r wyresau. Mae hi'n dotio arnyn nhw a nhwytha arni hitha.

Am ei bod yn cael ei phen-blwydd ar y 27ain o Ragfyr, roeddan ni'n arfer rhoi ei hanrheg a'i cherdyn pen-blwydd iddi ar ddydd Dolig. Ond yng nghanol holl firi'r dydd, roeddan ni hogia'n anghofio popeth am ei phen-blwydd ac yn anghofio dymuno'n dda iddi! Wedyn, tua amser cinio ar ôl inni fod rownd efo'r llefrith, mi fydda hi'n deud: 'Mae hi *yn* ben-blwydd arna i heddiw, 'chi.' Mi oedd ganddi bwynt, mae'n siŵr, ond ei bai hi oedd o am agor ei cherdyn a'i hanrheg pen-blwydd ar ddydd Dolig, 'te?!

Dwi'n meddwl ein bod ni wedi cael maddeuant. Mae'n rhaid fy mod i, beth bynnag, oherwydd dwi'n siarad efo hi ryw ben bob dydd!

Irfon

Mi gafodd fy mrawd mawr ei eni fis Mehefin 1959, sy'n ei neud o ryw ugain mis yn hŷn na fi. Roedd pobol yn meddwl ein bod ni'n efeilliaid am ein bod ni'n weddol debyg o ran pryd a gwedd ac o ran maint, ac am ein bod yn cael ein gwisgo 'run fath.

Yr hyn sy'n ddiddorol ydi ei fod o wedi bod o mlaen i ym mhob man dwi wedi bod, ym myd addysg a gyrfa. Mi fydda i'n hoffi meddwl mai paratoi'r tir ar 'y nghyfar i roedd o! Na, go brin – ond mae'n beth rhyfedd, serch hynny.

Roedd ei ddilyn o i'r ysgol gynradd yn anorfod, wrth gwrs, a'r ysgol uwchradd, mae'n debyg. Fel finna ar ei ôl, Cymraeg, Saesneg a Hanes wnaeth Irfon i'w Lefel A. Aeth wedyn i Brifysgol Aberystwyth, ac ar ôl bod i lawr ato fo am ambell benwythnos, i fanno y penderfynais inna fynd hefyd, ond nid i neud yr un pynciau y tro hwn! Mi raddiodd Irfon yn y Gyfraith, er iddo benderfynu peidio â dilyn gyrfa yn y maes hwnnw.

Wnes i sôn wrthach chi mod i'n eitha hoff o bêl-droed, 'do? Wel, mae Irfon hefyd, ond yn wahanol i mi dydi hynny ddim yn obsesiwn ganddo fo. Mi fyddai rhai o hogia'r pentre'n dod acw i gicio pêl ond mi fyddai'n rhaid llusgo Irfon allan weithiau – roedd yn llawer gwell ganddo fo ddarllen. Roedd o byth a hefyd â'i drwyn mewn llyfr neu gylchgrawn, ac mae o'n dal i fod felly hyd heddiw. Do'n i'n darllen dim byd ond *Goal!* neu *Shoot!* tra oedd Irfon yn cael *Look and Learn*. Mae hynna'n deud y cwbl! Ond mi ddôi o allan i gicio pêl efo ni cyn diwadd, ac mi fyddai'n mwynhau'n iawn. Y rheswm ei fod o'n cefnogi West Ham, gyda llaw, ydi ei fod o'n hoffi lliw eu crysau nhw pan oedd o'n hogyn, a hefyd, mae'n siŵr, am fod rhai o sêr tîm Lloegr yng Nghwpan y Byd 1966 yn chwarae iddyn nhw – Bobby Moore, Geoff Hurst a Martin Peters.

Gan fod 'na gymaint o lechweddau o gwmpas Capel Garmon, dim ond hyn a hyn o lefydd gwastad oedd 'na i chwarae pêl-droed, ac mi oedd un o'r rheiny ar un o'r caeau acw, Cae 'Refail. Y drwg oedd fod y darn gwastad yn agos i'r tŷ ac felly roedd 'na ffenest reit tu ôl i'r gôl, fwy neu lai. Dach chi'n gweld be sy'n dod rŵan, tydach? Do, bu'n rhaid i Dad fynd i siop Lloyd Jones & Bebb, Llanrwst, fwy nag unwaith i nôl gwydr i drwsio'r ffenest honno. Mi fyddai Irfon a finna'n chwarae llawer ar y gêm bêl-droed Subbuteo hefyd, ac yn gneud y pethau arferol mae hogiau'n eu gneud fel chwarae Cowbois ac Indians yn y coed. Dad fyddai'n gneud y bwa a saeth, ac roedd y gynnau caps yn dod o siop L.M. yn Llanrwst fel rheol. Dwi'n clywad ogla'r caps hyd heddiw.

Pan o'n i tua wyth oed, mi fyddai'r ddau ohonon ni'n mynd am wersi piano efo'n gilydd bob wythnos. At Miss Jones Siop yng Nghapel Garmon i ddechrau, wedyn efo Ifor Jones, Penmachno, ac yna efo Madam Olwen Hughes yn Nolgarrog. Roedd y tri'n athrawon da,

Priodas Elen a fi, 31 Awst 2006. O'r chwith: Medi Wyn, Rhys, fi, Elen, Sara, Gruff, John Ian, Liz a Lois

Elen a fi ar ein mis mêl yn yr Eidal

Efo Dad ac Irfon ar gopa'r Wyddfa ym Medi 2002

LLUN: FFOTOGRAFFI RICHARD OUTRAM

Y plant ger Castell Rhuddlan, Ionawr 2011. O'r chwith: Lois, Sara, Gruff, Ianto, Rhys ac Alys

LLUN: ROGER RICHARDS PHOTOGRAPHY

Y teulu ynghyd yn 2010. Cefn: Gruff, Elen, Ianto, Irfon, Bethan (ei wraig), Anna (eu merch) a Rhys. Canol: Sara a Gethin (mab Irfon). Blaen: Alys, fi, Dad, Mam a Lois

Y plant hyna a finna . . .

. . . a'r ddau fach, Alys a Ianto, yn 2012

ond ro'n i'n casáu chwarae piano. Do'n i byth yn ymarfer, a dwi'n cofio Ifor Jones yn hitio fy mysedd efo'i bensel ac yn deud: 'Ti'n *don't care*, 'yn dwyt? *Don't care . . .*' Wydda fo ddim pa mor 'don't care' o'n i mewn gwirionedd! Yr unig fendith oedd fod Dad yn gallu mynd i weld ei chwaer pan oeddan ni'n cael ein gwers efo Ifor Jones, achos y drefn oedd ein bod ni'n dal y bws o Ysgol Dyffryn Conwy efo plant Penmachno, ac wedyn yn cael te efo Anti Bet ac Yncl Rich a'u plant Meirion a Delyth, ac yna Dad yn dod i'n nôl ni. Mi ddaeth fy ngyrfa fel pianydd i ben pan sylweddolodd Mam a Dad nad oedd 'na affliw o ddim pwynt cario mlaen. 'Difaru wnei di,' meddan nhw, a finna wastad yn deud wrtha i fy hun: 'Wna i ddim difaru – byth bythoedd, am mod i'n ei gasáu o gymaint!' A wyddoch chi be? Dwi ddim yn difaru chwaith, achos mi o'n i'n hollol anobeithiol a faswn i ddim mymryn gwell taswn i wedi cario mlaen tan Sul y pys.

Fel dywedais i gynnau, doedd Dad byth yn flin – ar wahân i un achlysur bythgofiadwy. Yn un cae roedd o'n defnyddio ffens drydan i reoli faint o'r gwair roedd y gwartheg yn ei fwyta, a byddai'n symud y ffens ychydig lathenni bob bore er mwyn iddyn nhw gael pori llecyn newydd. Mae'n rhaid mai clywed Dad yn brolio'r ffens drydan newydd roedd o wedi'i phrynu roddodd y syniad ym mhen Irfon a fi. 'Be am chwarae tric ar Dad . . .?'

Roedd o'n arfer clymu un pen o'r ffens i'r goeden agosaf yn y clawdd, tra oedd y pen arall yn sownd i'r batri. Wrth gwrs, mi fyddai'n diffodd y swits cyn cyffwrdd yn y ffens, ond be wnaeth Irfon a fi ond ei ddilyn heb yn wybod iddo. Tra o'n i ar fy mol ar ben y bryn yn gwylio Dad i weld pryd y bydda fo'n gafael yn y ffens, roedd Irfon yn barod wrth y swits. Pan godais i fy mawd mi drodd Irfon y swits, ac mi gafodd Dad goblyn o sioc – a braw wrth gwrs, y creadur. Mi sylweddolodd yn syth beth oedd yn mynd ymlaen, ac roedd o'n dawnsio o gwmpas y cae yn lloerig! Roedd o fel cartŵn o ffarmwr blin. Dyna'r unig adeg y gwelais i o'n gwylltio go iawn. Ond chwarae teg iddo, mi oedd o'n chwerthin am y peth wedyn dros swper!

Ar ôl dilyn Irfon trwy ysgol a choleg mi o'n i'n dynn ar ei sodlau wrth ddechrau gweithio hefyd, o ran lleoliad os nad o ran swydd. Mi fuodd y ddau ohonan ni'n byw yn yr un tŷ yn yr Wyddgrug am gyfnod, hefyd, pan oedd Irfon yn gweithio efo Cyngor Cymdeithasau Gwirfoddolwyr Clwyd yn Rhuthun, a finna'n dysgu yn Ysgol Maes Garmon. Roedd Irfon yn lletya yn nhŷ Owen Owens (drymiwr grŵp Geraint Løvgreen ac eraill), ac mi fues inna'n cysgu ar y llawr yno am chwe wythnos. Un arall oedd yno oedd Ifan Jones o Glanrafon, ger Corwen. Ro'n i wedi trefnu i letya yn nhŷ un o fy ffrindiau coleg, Dylan Roberts (Manceinion), oedd hefyd yn gweithio yn yr Wyddgrug. Ond roedd yna oedi yn y broses o brynu'r tŷ hwnnw ac roedd yn rhaid aros cyn y gellid symud i mewn, felly'r llawr oedd fy lle i a fynta!

Ymhen ychydig byddwn yn dilyn 'rhen Irfon unwaith eto, achos yn 1986 mi gafodd o swydd yn gohebu efo'r BBC ym Mangor, a finna'n ymuno â'r gorfforaeth yn 1990. Ar ôl gadael y BBC am gyfnod, mae o'n ôl yno rŵan fel is-olygydd rhaglenni cyffredinol Radio Cymru gyda gofal am *Ar y Marc*!

Mae o a'i wraig Bethan (sy'n swyddog Technoleg

Dysgu ym Mhrifysgol Bangor) yn byw yn Llanrug, ac mae ganddyn nhw ddau o blant, Anna a Gethin. Mae Anna newydd ddechrau actio ar gyfres *Rownd a Rownd* (hi ydi'r cymeriad Hari), ac mae Geth yn giamstar ar y cornet.

Y plant

Mae gen i chwech o blant – pedwar o mhriodas gynta a dau efo Elen, fy ngwraig. Mae'r pedwar hyna – Lois, Gruff, Rhys a Sara – yn dal i fyw efo Aurona yn Llannefydd ond yn rhannu eu hamser efo ni yn Llanelwy, ac maen nhw'n cael hwyl garw efo'r ddau ieuenga, Ianto ac Alys, a nhwytha'r un modd. Mae Aurona a finna'n dod ymlaen yn iawn, ac mi ydan ni'n cydfagu'r plant. Er na wnaeth pethau weithio allan rhyngddon ni, fasa'r plant ddim wedi gallu cael gwell mam.

Y gyntafanedig oedd Lois, sy'n un ar hugain oed erbyn hyn. Mi raddiodd eleni mewn Cymdeithaseg a Pholisi Cymdeithasol ym Mhrifysgol Bangor, a bellach mae'n gweithio fel cymhorthydd yn Ysgol Twm o'r Nant, Dinbych, a hefyd yn gweithio i'r Urdd. Mae hi'n dipyn o gogyddes ac yn mwynhau canu a gweithgareddau awyr agored. Mae ei ffrindiau'n deud ei bod wedi etifeddu hiwmor ei thad! Druan â hi.

Mae'r elfen ffermio yn gryf yng ngwaed Gruff, sy'n bedair ar bymtheg. Mae'n treulio'i oriau sbâr yn gweithio ar fferm Croenllwm, Llannefydd, yn dysgu crefft ei daid dan adain Alun Owen, ac erbyn hyn mae o yng ngholeg amaethyddol Harper Adams, ger Amwythig. Cafodd ei enwi ar ôl brawd Dad, Yncl Griff, ac fel mae Anti Ann yn deud, mi fysa Yncl Griff wedi bod yn falch iawn ohono. Mi oedd Gruff yn cefnogi Leeds ond mi gafodd gymaint o dynnu'i goes pan gafodd o grys y tîm i ryw ben-blwydd fel y newidiodd o i Man U, a Man U ydi o byth ers hynny!

Pymtheg oed ydi Rhys, a phêl-droed ydi'i betha fo! Mae o'n chwarae i dîm yn y Rhyl, ac mi chwaraeodd i Ogledd Cymru pan oedd o'n bedair ar ddeg. Ond mae o'n hoff o goginio hefyd, felly ella fod 'na fymryn o deisennau Berffro yn ei waed yntau. Mae o'n gefnogwr Leeds fel ei dad, ac mi fyddwn ni'n mynd draw i Elland Road efo'n gilydd pan gawn ni gyfle.

Mae Sara'n ddeuddeg ac ar ei hail flwyddyn yn Ysgol Glan Clwyd. Mae'n bosib mai ynddi hi mae'r elfen ganu'n dod allan gryfa – mae hi'n hoffi canu ac yn aelod o gôr yr ysgol, ac mae hi'n dda mewn Celf. Wrth gwrs, mae hi hefyd jest yn mwynhau bywyd yn gyffredinol efo'i ffrindiau. Does ganddi ddim diddordeb mawr mewn pêl-droed ond Leeds ydi'i thîm hi, am fod Dad yn deud!

Mae Ianto'n bedair ac yn mynd i Ysgol Twm o'r Nant, Dinbych, lle mae ei chwaer, Miss Lois, yn ceisio cadw trefn arno. Dydi Ianto ddim yn stopio am eiliad o pan mae o'n codi yn y bore (tua chwech) tan mae o'n mynd i'w wely am saith y nos! Mae o'n gwirioni ar bêl-droed, nofio a rygbi, ac mae o'n *deud* ei fod o'n cefnogi Leeds . . .

Alys, sy'n dair oed, ydi'r cyw melyn ola. Mae hi'n siaradus fatha'i mam, ac yn mwynhau canu i gynulleidfa. Does dim dwywaith nad hi ydi'r bòs arnon ni i gyd. Cefnogwraig Leeds y dyfodol, heb os!

Elen Wyn, fy ngwraig

Un o Gaernarfon ydi Elen yn wreiddiol. Roedd ei thad, John Ian, yn athro Addysg Gorfforol yn Ysgol Syr Hugh Owen, a Liz ei mam yn cadw Caffi Maes ar y Maes yn y dre am flynyddoedd – felly roedd Elen fel finna wedi hen arfer gweithio mewn ciaffis! Ei thad, trwy lwc i mi, yn ddyn pêl-droed. Mae ganddi un chwaer, Medi Wyn, sy'n athrawes ac yn byw yng Nghaernarfon efo'i dyweddi, Gareth, yntau'n athro a hefyd yn bêl-droediwr.

Un o gyn-ddisgyblion Ysgol Syr Hugh ydi Elen, ac mi aeth i Gaerdydd i neud gradd mewn Newyddiaduraeth, felly mae hi o'r un cefndir â fi. Mae'n braf ein bod ni'n dau yn yr un maes, oherwydd dydan ni ddim yn diflasu'n gilydd pan ydan ni'n sôn am waith, ac mae'r naill yn gallu uniaethu efo'r llall.

Trwy gyd-ddigwyddiad llwyr, hi ydi gohebydd y gogledd-ddwyrain i *Newyddion*, sef fy hen swydd i, felly ro'n i'n gallu'i rhoi hi ar ben ffordd! Mi gafodd y swydd honno ychydig cyn i ni briodi yn 2006. Roedd Mam a Dad yn dathlu eu priodas aur ar y cyntaf o Fedi y flwyddyn honno, felly mi wnaethon ni benderfynu priodi ar ddiwrnod olaf Awst er mwyn cael dathliad dwbwl. Diwrnod bythgofiadwy.

Mae Elen yn iau na fi, ond yn llawer mwy aeddfed! Hi sy'n dal y teulu 'cw at ei gilydd – yn graig i mi, yn ffrind da i'r pedwar hyna, ac yn fam wych i'r ddau fach.

Ydw, dwi'n lwcus tu hwnt.